Ombre de l'ombre

ISBN : 2-86930-515-X
ISSN : 0764-7786

Titre original : *Sombra de la Sombra*

Paco Ignacio Taibo II

Ombre de l'ombre

Traduit de l'espagnol (Mexique) par
Mara Hernandez et René Solis

*Collection dirigée
par François Guérif*

rivages/noir

Feliz Cumpleaños!

50 ans! vous voilà bien sage?!
C'est au prochaine 50ans qui vont nous le dire.

Pour mes compagnons Rolo et Myriam
et pour Rogelio Vizcaíno, mon avocat
qui a assisté à la renaissance de ce roman.
Pour le club de Tobi.

À ce moment là, on sera tout les deux assez vieux!

Papito mio, te quiero como a ninguno.

Feliz 1/2 siècle.

Amor xxx Keno.

« Comme c'est étrange, l'ombre d'un homme ! »

Maxwell Grant (Walter B. Gibson)

« Il y a une certaine grandeur
dans toute cette folie trouble. »

Jesús Ibáñez

1. Les personnages jouent aux dominos

– Mets donc le double-deux, mon cher poète. Un homme de ton envergure spirituelle ne s'abaisse pas à faire le con, dit Manterola en souriant.

Le poète s'affaisse sur sa chaise. Il enlève son chapeau, commence à se gratter le sommet du crâne, tapotant avec deux doigts comme s'il suivait le rythme d'une chanson que lui seul écoute. De l'autre main, il retourne le double-deux et le pousse doucement sur le marbre.

– Ils vont te baiser, partenaire, commente l'avocat Executor à l'autre bout de la table.

Pour bien signifier qu'avec le jeu qu'il a, il n'y a plus rien à faire, il boit d'un coup la tequila qui reste dans son verre, soupire et après un inaudible « Tu permets ? » s'envoie aussi le reste du verre du Chinois.

Le Chinois joue le deux-trois et passe la main à Manterola. Lequel, à deux tours de la fin, maîtrise si bien la situation qu'il tire de la poche de sa veste un tire-jus douteux et se mouche bruyamment, arrachant les autres à leur concentration.

Pioquinto Manterola, le journaliste, n'a pas encore quarante ans même s'il s'en approche et fait quelquefois semblant de les avoir dépassés. Lunettes cerclées, fort nez crochu, calvitie précoce bordée de frisures qui dépassent d'une casquette anglaise, cicatrice sèche et fine, aux bords légèrement rouges, qui commence juste sous l'oreille gauche et va se perdre dans le cou : voilà qui lui confère un visage appelant irrésistiblement un deuxième coup d'œil. Il a l'air vif et douteusement respectable.

– Je passe, dit l'avocat Executor.

9

– Pour toujours, mon cher ami, dit Manterola qui, de l'autre côté, joue le deux-cinq.

Peu à peu, les lumières du bar de l'hôtel Majestic se sont éteintes. C'est un lieu décati mais efficace question boissons et service, que les hasards de la vie ont situé au numéro 16 de la rue Madero, en plein centre de Mexico. Les derniers bruits des boules de billard martèlent l'air en douceur. Bientôt, il ne restera plus, sous son abat-jour de métal noir, que l'ampoule solitaire laissant tomber un cercle de lumière de plus en plus net au-dessus de la table des quatre joueurs. Le poète joue le cinq-un, le Chinois Thomas Wong passe, l'avocat Executor crache le double-un en soupirant et Manterola termine avec le trois-quatre.

– Faites les comptes, bande de médiocres ! s'exclame le journaliste Manterola.

Thomas le Chinois se lève et se dirige vers le bar. Il fixe des yeux en souriant une bouteille de rhum cubain qui l'attend, solitaire, au milieu des étagères. Le barman découvre la bouteille en suivant son regard, la prend par le goulot et lui verse une grande rasade. C'est un vieux truc qui marche neuf fois sur dix à condition d'avoir affaire à un barman professionnel.

– Marque donc 26, mon cher scribouillard, dit le poète.

Tandis que les dominos dansent sur le marbre, le barman, plus prosaïque, frotte le comptoir avec son chiffon jaune sale puis se dirige vers le fond du bar pour couvrir d'un drap les tables de billard à présent désertées. Un coucou sans bec, un peu ridicule, sort de sa maisonnette pour chanter deux heures. Deux heures du matin d'un jour d'avril 1922, par exemple.

Thomas le Chinois retourne à sa chaise en fredonnant :

« Tampico joli pol' tl'opical
Gloil' e de notl' e sol national
Pal' tout où j'il' ai
De toi me souviendl' ai »

Il répète : « *De toi me souviendl'ai* ». Il y a longtemps qu'il fredonne cette chanson. Il la fredonne si doucement qu'une seule personne peut se vanter de l'avoir entendue : une pute allemande (jupe en tulle rose agitée par le vent, la mer en toile de fond) avec qui il a vécu quelques mois à Tuxpan en 1919.

Le poète a fini de mélanger les dominos et laisse les mains en suspens au-dessus de la table, tel un cuisinier devant sa spécialité. Fermin Valencia a un peu plus de trente ans. Il mesure un mètre cinquante-cinq et il est né dans le port de Gijon en Espagne. Mais il y a longtemps que la côte cantabrique s'est effacée de sa mémoire. Il avait six ans lorsque son père est arrivé au Mexique et s'est installé comme imprimeur à Chihuahua. Il a besoin de lunettes pour voir de loin, mais ne les utilise presque jamais. Il arbore en revanche une moustache respectable, souvenir, avec ses bottes à talons et son foulard rouge, de son passage par la Division du Nord de Pancho Villa, dans les années 1913-1916. Il est difficile de savoir à quoi s'en tenir face à un visage tantôt enfantin, tantôt raidi par la rage qui couve en dedans. Difficile de distinguer chez lui l'humour de l'amertume, et plus encore l'adolescent affectueux de l'individu retors et agressif. Quelque chose est brisé à l'intérieur du poète. Seul le sourire perdure, mais il signifie des choses très différentes, selon les va-et-vient de la vie et les humeurs du corps.

Manterola étire ses pieds sous la table, appuie la nuque contre ses mains croisées et dit :

– Vous êtes vraiment minable aujourd'hui, cher maître.

– Rien n'est éternel, mon bon scribouillard, rétorque l'avocat.

Le Chinois reprend sa place et commence à ramasser ses dominos. Il les aligne doucement, les change plusieurs fois de place.

Deux femmes entrent par la porte de la rue. La grâce et l'aisance de leurs habits n'empêche pas leurs gestes

11

de sonner faux. Elles ont l'élégance recherchée, professionnelle.

– On vous demande, maître, signale le barman.

L'avocat Executor se lève vivement de sa chaise, pose d'un geste sûr son chapeau à larges bords sur ses cheveux indociles et sourit à ses compagnons de jeu.

– Gentlemen, le devoir m'appelle. Je vais ouvrir quelques instants le bureau.

Les trois autres le regardent s'éloigner de quelques pas, dire bonsoir aux deux femmes et les inviter galamment à s'asseoir à une table proche. Comme par magie, une lumière s'allume au-dessus de la table. Les barmen professionnels comme Eustachio connaissent bien les petites habitudes de leurs clients les plus fidèles. A trois tables des joueurs, sous un halo de lumière qui concurrence le leur, l'avocat Executor relève d'une chiquenaude le bord de son chapeau et se prépare à écouter. Profitant de l'interruption, le barman s'approche de la table des joueurs, une bouteille de rhum cubain et deux verres à la main.

– On ne met pas les doigts dans les verres, loufiat de mon cœur, c'est anti-hygiénique, signale le poète.

Eustachio l'ignore souverainement et sert l'alcool dans les verres sales.

– Qu'est-ce qui occupe notre ami ? demande Manterola.

– Il m'a dit qu'il s'était chargé de rédiger une requête des dames du trottoir au maire de l'arrondissement. C'est sorti dans votre journal. Vous ne l'avez pas lu ?

– A dire vrai, ces derniers temps, je ne lis même pas ce que j'écris.

– Il paraît qu'on veut transférer la zone de tolérance dans le quartier de la Bourse et que les dames et propriétaires de maisons des rues Cuauhtemotzin, Netzahualcóyotl, et de l'impasse Pajaritos, veulent un sursis. Le principal argument de ces dames, c'est que la Bourse est un quartier mal famé, sans police ni tout-à-l'égout. Je crois qu'elles préféreraient s'installer dans

12

votre quartier.

– A Santa Maria ?

– C'est cela.

– Elles seraient sûrement de meilleure fréquentation que toutes les fripouilles qui rôdent dans le quartier, remarque le journaliste Manterola.

Le Chinois contemple ses deux compagnons d'un air rêveur. Il est évident qu'il n'est pas là, qu'il a profité de la pause pour partir ailleurs, dans un endroit qu'il ne partage pas avec ses amis. Il est au pays de ses silences. Réfugié dans un coin de son cerveau. Le Chinois a trente-cinq ans et, bien qu'étant né en Sinaloa[1], il parle en prononçant les r comme des l, comme s'il voulait en rajouter pour souligner la cruelle absurdité de la condition des Chinois au Mexique, la persécution qu'ils subissent. Thomas Wong, ancien marin et ancien télégraphiste, aujourd'hui charpentier dans une usine textile du quartier de San Angel, habite plusieurs mondes dont celui de ses silences et celui du combat syndical le plus acharné qu'ait connu la région de Mexico depuis longtemps.

L'avocat Executor dit au revoir aux deux dames qui l'embrassent et le cajolent tout en papotant. Au-dessus de la table qu'ils viennent de quitter, la lumière s'éteint.

– Messieurs, quand vous voudrez ! annonce l'avocat noctambule.

1. La Sinaloa : Etat du Mexique septentrional qui s'étend le long du Pacifique.

13

2. Le blues du travailleur

Il avait besoin du bruit de la rédaction pour pouvoir s'isoler dans un silence où ne pénètraient que ses pensées et le cliquetis quasi musical de la machine à écrire, une Oliver plutôt abîmée, avec le tintement de la clochette qui annonçait l'approche de la marge droite. Il avait besoin que des danseuses de Revue se promènent dans la rédaction en chantant, qu'on discute bien fort de politique municipale, qu'on commente à haute voix les catastrophes survenues à l'hippodrome de la Condesa transformé en circuit automobile, qu'on claque les portes, que Rufino, le coursier, pousse des hurlements parce qu'il a mal aux dents, et même que l'amant délaissé (et humilié par un de ses collègues), vienne tirer un coup de pistolet en l'air et menacer de se suicider.

Pour Manterola, la musique céleste était là. Il ne pouvait s'enfermer en lui-même, s'adonner au plaisir de la chronique, qu'au milieu du brouhaha journalistique. Quelques années auparavant, il était parti dans un trou de province pour écrire un roman et il n'avait pas réussi à dépasser la première page, vaincu par le silence de la campagne.

Il n'était donc pas étonnant que cet après-midi-là, tandis qu'il fumait l'une après l'autre des Argentinos sans filtre qu'il tirait d'un paquet tout froissé, les feuillets s'empilassent comme des saucisses au sortir de la chaîne.

Il était en train d'écrire la pathétique histoire de la capture de Mario Lombarc, le chef français d'une bande cosmopolite comptant dans ses rangs un Cubain et un Colombien. Pendant deux mois, en perce-murailles aguerris, ils avaient dévalisé des chambres de l'hôtel

14

Colisée, visité l'hôtel des Deux Mondes et la bijouterie Paris.

D'après ses aveux, Lombarc, qui préférait la mécanique, laissait à ses seconds les sales boulots de maçonnerie, pendant que lui mettait sa science et son habileté au service de l'ouverture des coffres-forts, caisses et autres malles.

Mais le plus émouvant pour Manterola, alors qu'il construisait un article inspiré de son entretien avec Lombarc à peine une demi-heure plus tôt (de l'extra-frais donc), c'était la déclaration finale du truand : « J'ai travaillé avec succès à New York, d'où j'ai dû partir parce que j'étais trop connu de la police. Mais ici on ne peut vraiment pas travailler à son aise. Dès que j'aurai été expulsé, je conseillerai à mes amis de ne surtout pas venir au Mexique ! »

Il adorait l'ambiguïté avec laquelle il avait rédigé son article. Les amis de Lombarc ne devaient-ils pas venir au Mexique parce que la police y était très habile ? Parce qu'il n'y avait rien dans les coffres-forts ? Que le climat y était malsain ? La concurrence trop forte ? Cette histoire lui plaisait.

Après avoir rempli cinq feuillets à double interligne, il les corrigea en toute hâte, remit la dernière page dans la machine pour y rajouter un éloge modéré du travail de la cinquième brigade spéciale et de son chef Quintana. Il titra finalement à la main en majuscules :

LOMBARC PRÉVIENT SES AMIS : « NE VENEZ PAS AU MEXIQUE ! »

Il éteignit sa cigarette en l'écrasant du pied et descendit quatre à quatre à l'imprimerie.

— Première page, deuxième section. Trois colonnes au moins.

Le rédacteur en chef, qui était au marbre, acquiesça après avoir parcouru sa copie.

15

3. Meurtre d'un joueur de trombone

Le poète Fermin Valencia peignait sa moustache devant un bout de miroir accroché au mur bleuâtre par deux clous hydrocéphales. Il la peignait d'abord de haut en bas jusqu'à ce que les poils recouvrent totalement les deux lèvres, puis, de deux petits coups de pointe, il la séparait de chaque côté.

Il contempla son œuvre, mais la fière allure de sa moustache ne parvint pas à dissiper son cafard. Il jeta le peigne sur le lit déjà couvert de livres, de linge sale, de bottes, d'un Colt .45 avec son holster, d'un tas de bouteilles vides de whisky mexicain. Tous – Old Taylor, Old Continental, Clear Brook – mis en bouteille, malgré les marques pompeuses, par la *"Compañia Nacional de Destiladora Distilacion de Piedras Negras, Coahuila"*. Il eut un choc en regardant le lit. Pour ne pas être obligé de le faire à cinq heures du matin, heure à laquelle il était rentré d'une partie de dominos prolongée et d'une longue promenade nocturne, il avait dormi sur le fauteuil face à la fenêtre.

Il ferma les yeux pour échapper à cette désolation. Les bras tendus, jouant à l'aveugle comme dans son enfance, il avança à tâtons jusqu'à la porte, l'ouvrit et sortit.

En passant devant l'appartement B, au rez-de-chaussée, il se dit que cela faisait déjà quelques jours que le propriétaire n'était pas venu l'emmerder. Il s'acquittait de son loyer avec exactement un mois et demi de retard, comme pour montrer qu'il pouvait y avoir un semblant d'ordre dans son chaos ; il n'avait, pour l'heure, pas d'argent, mais les coups de colère de Don Florencio lui offraient en pâture d'inépuisables sujets de raillerie.

– Don Florencio ? demanda-t-il doucement après avoir frappé à la porte.

Pas de réponse. Le poète suivit son chemin.

Dans le square, l'orchestre du régiment d'artillerie jouait "pour l'honorable société de Tacubaya" – c'étaient les termes du programme – *les Echos de Sonora*. Devaient suivre la *Marche Alvaro Obregón* et pour finir une sélection de thèmes d'*Aïda*.

Le poète, expert en divertissements gratuits, y compris, bien sûr, les concerts en plein air des fanfares militaires, avait ses préférences. Dans l'ordre, la Fanfare typique de l'Etat-Major Présidentiel, puis celle de la police du District Fédéral (qui à l'époque de Ramírez Garrido avait appris à jouer l'Internationale avec une telle vigueur qu'elle l'utilisait à présent comme thème de base pour les répétitions et pour accorder les instruments) enfin la fanfare de l'Ecole Militaire.

Il flâna entre les groupes d'ouvriers de l'usine de munitions, les petits employés de banque, les demoiselles déshéritées que leur condition n'empêchait pas de porter quand même un parapluie. Il arriva jusqu'au groupe de don Alberto, le boucher, qui avait apporté quatre chaises au square pour écouter le concert.

– Asseyez-vous, don Fermín, dit le boucher.

– Je ne fais que passer, je prends l'air pour me changer les idées, répondit le poète en souriant du coin de l'œil à Odile, la fille du boucher, tout récemment élue Miss Ouvrière Sympathique par ses camarades de la Cartoucherie numéro 3.

Il suivait le rythme de la marche avec le talon de ses bottes. Les mains jointes dans le dos, esquivant les promeneurs, il lançait de temps en temps des regards fuyants aux soldats trempés de sueur, à Odile qui était plus loin (deux énormes nœuds dans les tresses) et aux enfants qui, essayant de faire voler un petit avion, arrivaient seulement à dégommer des chapeaux ou à le faire rebondir sur la bedaine de petits-bourgeois pacifiques.

« *Le soleil, ce cadeau de tous les jours / pour le voir*

nous payerions avec plaisir | si nous n'avions les poches vides », construisit le poète, essayant de mémoriser pour plus tard un mot ou une phrase. Si pour les autres, écrire c'était mettre de la vie sur du papier, pour le poète la vie était pleine de papiers invisibles sur lesquels il écrivait et que plus tard, au petit matin devant le papier réel, il tentait, avec douleur, de rassembler. Il atterrit chez le marchand de rafraîchissements, près du kiosque où jouait l'orchestre.

— À quoi je vous le mets, chef ? demanda le marchand.

— A l'orgeat, Simon.

Le marchand, surnommé "le bouc" à cause de sa barbiche, lui servit un verre et marqua un nouveau petit trait sur un papier tout froissé. Il avait négocié avec le poète vingt-cinq rafraîchissements contre le quatrain peint en lettres baroques et multicolores au-dessus de sa petite boutique :

« Si t'as soif, va chez Simon
Y'a pas plus frais dans Mexico
Celui qui dit que c'est pas bon
Dans Mexico, y'a pas plus con ! »

Le poète but un petit coup et regarda l'orchestre qui jouait les dernières mesures de la *Marche Alvaro Obregón*. Un mouvement inhabituel attira son attention : par le petit escalier à l'arrière du kiosque, un homme, dont le poète ne put distinguer le visage, s'approcha du joueur de trombone, sortit de la poche de son gilet un petit pistolet, le mit sur la tempe du musicien et tira.

Alors que l'assassin regardait en direction du public, ses yeux croisèrent le regard myope du poète qui n'arrivait pas à le voir clairement. Valencia se frotta le visage pendant que l'orchestre, qui ne s'était pas aperçu de ce qui se passait dans la dernière rangée, jouait toujours. L'assassin enjamba la balustrade et se mit à courir dans la foule. Le poète porta la main à sa ceinture pour constater qu'il n'avait pas de pistolet ; il ne bougea pas tandis que l'homme traversait l'avenue et disparaissait dans les ruelles du quartier de Tacubaya. La musique s'était arrêtée, les cris du public s'intensifiaient. Pendant que les collègues du musicien assassiné se pressaient autour de lui, le poète essayait de préciser ce qu'il avait vu. Un homme était monté sur le kiosque, s'était approché du joueur de trombone par-derrière et l'avait assassiné. L'homme portait un gilet. Le visage ? Pas de visage, rien qu'une casquette plate, comme celle que portent les chauffeurs d'automobiles chics. Il avait tiré de la main gauche : un gaucher. Voilà quelque chose à raconter à Manterola. Merde, si seulement il n'avait pas été myope...

Il s'approcha des marches qu'il gravit en jouant des coudes. Malgré sa petite taille, le poète en imposait, peut-être à cause de sa splendide moustache, ou du désespoir qui filtrait de son regard.

Il observa le sang qui coulait du petit trou noirci dans la tempe, tachant le sol du kiosque ; il fixa les yeux écarquillés du mort : "le regard de la mort". Combien de fois l'avait-il vu en face ? Il ne savait pas si le regard témoignait de la dernière douleur violente, du déchirement du corps abandonné pour toujours, ou si c'était la première lueur de l'au-delà. Dans le doute, le poète était devenu athée. Quelque chose lui disait que le "regard de la mort" pouvait provenir de la première vision de Dieu, et s'il en était ainsi, il ne voulait rien savoir de ce personnage.

— On laisse passer ! dit-il aux deux trompettistes en pleine affliction. Comment s'appelait le mort ?

— C'est le sergent José Zevada, répondit le capitaine et chef d'orchestre qui serrait fébrilement sa baguette.

Le poète se pencha sur le mort et lui ferma les paupières pour que ses yeux cessent de le regarder. Il fouilla les poches et énuméra à haute voix :

— Un mouchoir plein de morve, le portrait d'une jolie jeune femme, un œuf pour repriser les chaussettes, un peso, cinquante centavos...

4. Les personnages jouent aux dominos et en concluent qu'ils sont des Mexicains de troisième classe

– ... Une fourchette en argent, des coupures de journaux attachées par un élastique, une bague en saphir, deux en argent serties de diamants, deux autres en argent avec deux grandes turquoises...

– On dirait une bijouterie, ce joueur de trombone, dit l'avocat Executor en jouant le deux-trois.

Il essaie de pousser le Chinois à cracher l'avant-dernier six pour que le journaliste Manterola coince le poète et son double-six. Le Chinois ne tombe pas dans le panneau et joue les un.

– Et qu'est-ce qu'il y avait dans ces coupures de journaux, cher informateur imprévu ? demande Manterola en s'arrêtant de prendre des notes pour s'essuyer le front.

D'un geste de prestidigitateur élégant, le poète sort de la poche de son gilet les coupures de journaux et les jette théâtralement sur la table.

– Les voilà.

– Quelle classe, l'informateur ! s'exclame Executor.

Le journaliste joue le trois-cinq et l'avocat s'énerve de plus en plus : c'est lui qui va se retrouver coincé avec son double-cinq.

– Concentration, concentration ! lance Executor à Manterola. Ici, on joue ou on travaille.

– Désolé cher ami, répond Manterola tandis que le poète, avec un grand sourire, coince en effet l'avocat.

Le journaliste prend le petit paquet de coupures, Executor passe, le Chinois joue le deux-quatre et le journaliste passe à l'attaque en mettant de nouveau un trois.

– Vous les avez lues ? demande-t-il.

– Bien sûr. La patience et moi, ça fait deux.

– Vous rendez-vous compte qu'il faut de nouveau sortir armé dans cette ville ? remarque le journaliste. On commençait à en perdre l'habitude.

– Cette habitude-là, moi je ne la perds pas, dit l'avocat en sortant son .38 automatique acheté trente-deux dollars dans une armurerie. Je le fais nettoyer à fond tous les ans. Et une fois par mois, je le démonte et je le graisse moi-même.

– Et toi ? demande le journaliste au Chinois, sans s'inquiéter d'un jeu qu'il mène à sa guise.

Le Chinois, comme s'il n'avait rien entendu, sort de sa botte un fin cran d'arrêt, et fait claquer le ressort qui crache quinze centimètres de lame d'acier luisante.

– Pancho Villa en avait un comme ça pour se curer les ongles, dit le poète.

– Il devait avoil' les ongles pleins de tell'e, répond le Chinois sans broncher, concentré sur son jeu.

– C'est fini ! annonce le journaliste en laissant tomber avec force son domino sur la table.

L'écho parcourt le bar presque vide et rebondit contre les rires forcés de trois officiers qui boivent au bar.

– Tu ne devrais pas changer les r en l, tu es mexicain, remarque le poète en se levant.

Executor fait les comptes en notant minuticusement sur un carnet qu'il porte toujours sur lui. Manterola jette un coup d'œil aux militaires. Trois jeunes, deux capitaines et un lieutenant, la dernière fournée de la Révolution. Ils ont dû faire tout au plus les dernières campagnes contre les zapatistes, et gagner leurs galons pendant la promenade de santé d'Agua Prieta. Ils sont pas mal ivres, leurs gestes artificiellement brusques. Ils ne lui plaisent pas. Il n'aime ni les militaires, ni les uniformes. Il partage cette phobie avec ses camarades... pour des raisons différentes.

– On t'a laissé t'approcher ? demande le journaliste au poète.

– Je crois que malgré ma petite taille, répond le poète en montant sur sa chaise et en s'asseyant sur le dossier, on a deviné ma force intérieure. Surtout dans le bordel ambiant.

Pendant qu'Executor mélange les dominos, le Chinois se lève, s'approche du bar et s'y accoude. Le barman devine, suit quand même son regard pour vérifier et prend la bouteille de rhum.

– La maison sert aussi les Asiatiques ? demande un des militaires.

– On dit que c'est ce qu'il y a de plus sale sur terre. Qu'ils habitent dans des boutiques tenues par des gens de leur pays et qu'ils partagent les déchets avec les rats. Qu'ils dorment sur des étalages de légumes, ajoute le lieutenant en lissant sa petite moustache.

Les officiers ont bu de l'eau-de-vie de seconde catégorie, vendue au prix de celle de première, dans le salon réservé du premier étage. Ils ne connaissent pas les traditions. Le Majestic est un hôtel dont les deux mondes, celui d'en haut et celui d'en bas, ne se mélangent pas ; ne s'aiment pas. En haut, on peut entendre Maria Conesa chanter pendant qu'un ministre dîne ; en bas, aux heures de grande activité autour du billard, il peut y avoir une demi-douzaine de malfrats espagnols avec plus de sang sur la conscience que toute la ville de Mexico. Une ville qui n'est pourtant pas avare de sang versé.

Le Chinois les toise à tour de rôle. Son mépris peut être interprété par les officiers soûls comme de la peur. Ils se trompent.

– Alol' comme ça messieurs, vous n'avez pas de médailles ?

– L'armée mexicaine n'affiche pas ses médailles, dit l'un des capitaines.

A leur table, le poète et le journaliste ont échangé un regard. Executor s'est levé et se dirige vers les toilettes à l'entrée du bar. Il a discrètement ouvert deux boutons de son gilet pour pouvoir dégainer à son aise, et du même mouvement il a ôté le cran de sûreté de son automatique.

– Alol' les petites médailles ? Elles sont peut-êtl'e l'estées à la maison ? interroge le Chinois en les regardant fixement.

– Mes camarades ici-même ont deux médailles pour actes de bravoure et pour blessures, imbécile ! lance le lieutenant qui se sent coincé par l'étrange question du Chinois.

– Thomas ! crie le journaliste assis à la table, pas de sang, s'il te plaît !

Il prend la relève de l'avocat pour mélanger les dominos, et tourne le dos au bar. Le poète, les yeux fixés sur les officiers, évalue la situation.

– Vous ne voudriez pas régler les consommations ? interroge le barman qui sent venir la catastrophe.

– Je demandais ça, pal'ce qu'au cas où vous en aul'iez, je poul'ais peut-êtl'e vous suggél'er d'aller les accl'ocher au cul de vot'le putain de mèl'e, conseille le Chinois.

Et bien sûr, il se voit immédiatement contraint de parer sèchement de l'avant-bras le coup de poing du lieutenant. L'avocat, près de la porte, sort son automatique et crie d'une voix de baryton :

– Pas d'armes ! Je refroidis le premier qui en sort une.

Les capitaines le regardent et le Chinois en profite pour balancer son poing dans la gueule du lieutenant. Deux dents sanguinolentes tombent de la bouche de l'officier qui s'écroule. Un des capitaines reste sans bouger, surveillant l'avocat. L'autre tente de porter secours à son camarade, crachant du sang et de la bave, affalé contre le bar. D'un coup de tête dans l'estomac, le Chinois l'en dissuade. Le poète se lève. Il marche lentement jusqu'à l'homme qui gît par terre et lui écrase la main avec laquelle il essayait d'attraper le pistolet qu'il porte à la ceinture. Le capitaine qui a reçu le coup de tête se tord par terre et se met à vomir. Le Chinois s'approche du troisième qui recule vers la porte en brandissant une bouteille de rhum prise sur le comptoir. Par-derrière l'avocat se rapproche et lui assène un coup du canon de son revolver sur la tempe. Le militaire s'écroule.

— Excuse-moi, Thomas, mais tu allais lui faire mal, explique-t-il au Chinois.

Le barman sort de derrière son comptoir. Il va ramasser la bouteille de rhum avant qu'elle ne soit tout à fait vide. En retournant vers le bar, le Chinois se masse la main avec laquelle il a frappé deux fois le lieutenant.

— Tu viens de rater une bonne occasion de t'amuser, lance le poète au journaliste qui continue à mélanger les dominos.

— Pas du tout. Je me suis retourné juste quand les coups ont commencé. J'en ai un peu rajouté en ne bougeant pas. Mais je connais Thomas depuis trois ans. Je l'ai déjà vu faire ça trois ou quatre fois, avec le même résultat. Cet homme est en acier. La façon dont il se sert de ses mains m'émerveillera toujours.

— C'est possible, mais quand il y a des pistolets dans l'histoire ce ne sont pas toujours les meilleurs qui gagnent, remarque l'avocat en revenant à la table.

— Tu as été parfait, fait remarquer le poète.

Le Chinois se masse la main pendant que le barman lui sert un verre de la bouteille rescapée.

— Pouvez-vous mettl'e de l'eau dans une cuvette et me l'appol'ter ? demande le Chinois.

— Ce que je ne supporte pas, dit le poète, ce sont ces petits jeunes qui se pavanent dans leur uniforme. En nous voyant habillés en civil, ils s'imaginent que nous ne sommes que des Mexicains de seconde classe.

— C'est ce que nous sommes. On ne peut pas en demander trop à ce pays, rétorque l'avocat en allumant un cigare court et fin.

Deux des militaires sont évanouis par terre, le troisième est en train de vomir, assis au pied du bar. Le Chinois a pris la cuvette et y trempe sa main qui com-

24

mence à enfler. Le barman sort de derrière son comptoir et retire aux trois hommes leurs revolvers.

– On continue ? demande le Chinois qui s'approche de la table avec sa cuvette.

Le poète essuie ses mains moites avec le foulard qu'il porte au cou ; c'est plus fort que lui, la violence lui provoque des accès de sueur froide.

Le journaliste renchérit :

– Que sommes-nous d'autre que des Mexicains de seconde classe ? Je dirais même de troisième, parce que ceux de seconde, ils passent leur temps à nettoyer les bottes de ceux de première. D'après vous, qui a perdu la Révolution ? Les Porfiristes ? Ceux-là sont déjà en train de marier leurs filles avec les colonels d'Obregón. C'est les parias qui l'ont perdue. Et les paysans qui l'ont faite. Et nous, sans la faire.

– Toi, tu ne l'as peut-être pas faite, mais moi, j'ai chevauché en compagnie de Pancho Villa pour me prouver que j'étais un homme, précise le poète.

Le journaliste ouvre lentement son gilet puis sa chemise. Une cicatrice blanchâtre traverse sa poitrine, il la touche comme si elle n'était pas à lui.

– Et les blessures reçues en tant qu'observateur, elles valent aussi quelque chose ? demande le journaliste.

– Bien sûr, qu'elles valent quelque chose, répond le poète.

Le Chinois met la main dans la cuvette puis tire lentement sur ses doigts.

– Une fracture ? s'enquiert l'avocat.

Le Chinois hausse les épaules.

– Des Mexicains de troisième classe, insiste le journaliste.

– Du calme, dit Executor en prenant dans le tas sept dominos luisants. Il y a même des Mexicains de quatrième classe. Vous n'avez pas lu que l'autre jour il s'est trouvé quinze mille catholiques pour célébrer le centenaire de l'Empire d'Iturbe.

– Je suis calme. Ce Mexique, c'est le nôtre. Si nous

partions, nous Mexicains de troisième classe, les autres n'auraient plus rien à manger.

– Je ne suis pas sûr de rentrer dans tes catégories, dit le poète.

– Je dis ça pour parler. Contrairement à Thomas, cogner des petits militaires ne me satisfait pas.

Pendant qu'on parle d'eux, les trois militaires, aidés par le barman, se sont levés péniblement et essaient d'atteindre la sortie. L'un d'eux se retourne pour proférer une dernière menace, mais y renonce, retenu par un geste amical du barman. La porte battante oscille en grinçant.

Le Chinois étire un à un les longs doigts de sa main qui malgré l'eau froide a monstrueusement enflé.

– Regarde donc ce qui arrive quand on frappe des militaires, reprend le poète. En plus ce n'était pas si grave, ils t'ont seulement dit que tu dormais sur des étalages de légumes. Selon mon ami, l'illustre journaliste Manterola, nous sommes des Mexicains de troisième classe. Alors, qu'est-ce que ça peut faire que nous dormions dans les légumes ? Moi, je dors bien dans un fauteuil. Quant à monsieur, il ne dort pas, dit-il en désignant l'avocat, c'est un vampire.

– Qui joue en premier, toi ou moi ? demande l'avocat au journaliste.

Le coucou de la pendule sonne trois heures du matin.

5. Belles histoires du passé : l'exécuteur

Mon nom complet est Alberto Executor y Sáez de Miera. On n'arrive pas à trente-cinq ans sans perdre une partie (ou la totalité) d'un nom si long. C'est pour ça que je ne m'inquiète absolument pas qu'on m'appelle *Maître Executor*. C'est amusant de penser que le nom de mes ancêtres est devenu surnom : L'exécuteur, le tueur des rêves, l'assassin légal, le bourreau. Que mon caractère ait aigri mes illusions n'a pas non plus beaucoup d'importance. D'ailleurs, peut-on appeler illusions un ensemble de vagues aspirations qui s'élèvent, retombent et deviennent des prétextes et non des buts ? La seule chose cohérente, c'est la volonté de se dépasser. Bourreau de mes rêves. Mais surtout, bourreau des projets faits par moi et pour moi, bourreau des volontés paternelles qui voulaient faire de moi un administrateur d'haciendas, un maître des volontés paysannes, un industriel partant chaque année en Europe sur les bateaux de la Ward Line. C'est contre ça que je me suis révolté. C'était mon pari. Comme une automobile sur le Paseo de la Reforma, je fonce sur tout ce qu'ils auraient voulu que je sois. Je fonce toujours, même si le but n'existe pas, même si l'échec est évident. Mon père et ma mère ne sont plus là, eux qui inventèrent cette camisole de force dont il ne reste même plus de lambeaux. Je suis devenu avocat pour putes. Je n'aurais pu faire ni mieux ni pire. Ce diplôme sacré qui était destiné à être accroché dans le bureau de mon père, au centre de ce cimetière où ma famille est morte après avoir vécu. Reste la plaisanterie des trois années d'études en Italie. Et de cette période quand même, une traduction de Malatesta en espagnol. Traduction qui, une fois signée et dédicacée, fit cracher à l'oncle Ernesto une écume verdâtre quand je la mis sur son bureau, avant de la lui lire d'une voix mielleuse. Ma voix n'a pas changé : « *L'ennemi ne sera pas celui né de l'autre côté des frontières, ni celui qui parle une langue différente de la nôtre, mais celui qui n'aura pas raison, celui qui voudra violer la liberté et l'indépendance des autres.* » Maintenant que la maison de famille n'est plus qu'une ruine, et qu'on piétine ses décombres, éparpillés par un coup de canon perdu pendant la Révolution, je peux y retourner, coiffé de mon chapeau à larges bords, symbole de la nuit. Chapeau connu dans les cabarets, bars et bordels de toute la ville. Chapeau gris perle volé au portemanteau d'un ministre de l'ancien régime et que j'utilise les dimanches, parce qu'il est solide et commode. Je peux enlever le chapeau d'un grand geste et, saluant les ruines de la maison paternelle, dire : « Me voilà, j'ai triomphé, je ne suis rien de ce que vous vouliez que je sois ; je ne possède rien de ce que vous prétendiez que je possède, il ne me reste rien. Je ne laisse rien. »

6. Chute d'un corps

Manterola avait terminé son papier sur les événements sanglants survenus dans la Ford immatriculée 4087 : sur les sièges avant, on avait retrouvé les corps de l'agent Sánchez et de son collègue González ; les mêmes qui avaient réussi un coup fumant à peine un mois plus tôt en collaborant à la capture du truand "Casquette Foncée", n'étaient plus aujourd'hui que des restes ensanglantés dans une voiture de police. C'est Tufiabla, un Arabe qu'ils surveillaient discrètement, qui avait vidé sur eux, avec nettement moins de discrétion, le chargeur de son revolver avant d'être arrêté. Le journaliste, la routine une fois expédiée, se remit à feuilleter les coupures de presse que son ami poète lui avait données la veille. Des versants de l'Ajusco soufflait un petit vent désagréable et Manterola se leva de son bureau au deuxième étage de l'immeuble de l'*El Demócrata*, son journal, pour aller fermer la fenêtre. Une cigarette pendait au coin de sa bouche ; il se sentait particulièrement vieux et usé ; il s'ennuyait peut-être.

Arrivé à la fenêtre, il vit une Exeter toute neuve s'arrêter devant la porte de l'immeuble. Le petit vent qu'il avait d'abord trouvé désagréable, le rafraîchit. Il retourna à sa table et contempla la désolation du bureau. Plus loin, Gómez racontait les miracles réalisés par les Soviets, l'équipe de base-ball des journalistes du service sport, pendant leur dernier match. Deux tables plus loin, Gonzaga sommeillait sur ses dessins. Manterola se pencha sur les coupures de presse. Ce n'était pas très varié : des entrefilets, qui décrivaient sur dix ans la carrière controversée du colonel Froilán Zevada (le frère du joueur de trombone mort ?) ses états de service dans la lutte contre les partisans de Madero, son retournement de veste après les accords de Ciudad Juárez, ses succès tachés de sang pendant la répression anti-zapatiste, son rôle douteux pendant la Dizaine Tragique, son appui (tardif) à Carranza, son travail de flic au service des compagnies pétrolières, ses relations avec Pablo González ; son grade de colonel conquis contre les derniers partisans de Pancho Villa ; son abandon (tardif) du commandement de la garnison de Tampico pendant la rébellion d'Agua Prieta. Figuraient en outre des mentions occasionnelles de sa présence à un bal de l'Ecole Militaire, des nouvelles isolées sur sa participation à un concours de tir, des rumeurs sur un duel à minuit en plein centre ville, des renseignements sur un cours de balistique qu'il avait suivi en Allemagne.

Rien de neuf, pensa le journaliste pendant qu'il allumait une cigarette. Un chariot tiré par des chevaux et transportant du charbon passa sous la fenêtre, les sabots résonnèrent dans la rue. Des chariots, il n'y en a plus beaucoup, se dit-il, et il se pencha à la fenêtre pour le voir s'éloigner.

Un après-midi pour rêvasser, se dit en lui-même Manterola en exhalant la fumée. Pour s'évader, pas pour réfléchir à la carrière d'un petit colonel arriviste. Ni aux dernières voitures à chevaux, remplacées par des Packard et des Ford, drôles de produits dont seuls les pneus étaient fabriqués au Mexique et qui circulaient dans une ville faite pour tout sauf pour elles. Simplement rêvasser, laisser les souvenirs prendre leur vol. Souvenirs tristes, alanguis comme le soleil qui commençait à se cacher du côté de Tacuba ; souvenirs cotonneux, comme les nuages qui mordaient un ciel obstinément bleu. Il jeta sa cigarette dans la rue, un peu parce qu'il commençait à en avoir marre de lui-même et un peu parce qu'il trouvait du plaisir à regarder le petit cylindre blanc descendre deux étages. Le mégot hésita en l'air, puis tomba sur le toit d'une des voitures. Une femme en descendait. Les braises rebondirent sur son chapeau, c'est du moins ce que crut voir Manterola. La femme leva le regard vers son agresseur qui, penaud, lui fit un sourire et ferma la fenêtre.

Quand il eut reculé d'un pas, comme un enfant surpris en pleine bêtise, Manterola pensa que le visage de femme, furtivement aperçu, était beau.

Il alla jusqu'à son bureau et retira le dernier feuillet de la machine. Sifflotant une valse, il s'approcha de la table où somnolait Gonzaga et le secoua en douceur.

– Eh, gribouilleur, on a besoin de tes services !

– Eh bien, eh bien, fit Gonzaga, sans trop savoir à qui il parlait.

A la rédaction, on disait de lui qu'il fumait de l'opium dans l'impasse Dolores ; qu'avec ses amis, ex-zapatistes, il buvait du mezcal dans des bouges jusqu'à tomber raide ; et qu'il ne dédaignait point les cigares de Veracruz, les fumant l'un après l'autre jusqu'à frôler l'intoxication. Quoi qu'il en fût, il dessinait plus vite que personne, et des deux mains, comme Léonard de Vinci.

– Eh bien, de quoi s'agit-il ?

– L'Arabe Tufiabla s'approche de la fenêtre avant de la Ford immatriculée 4087 et décharge son revolver sur deux agents plutôt étourdis.

– Le susnommé était habillé en Arabe ?

– A moitié je suppose, comme ceux du marché.

– Arabe à moitié, Arabe à moitié, répéta Gonzaga tout en traçant les premiers traits de ce qui allait être la magistrale illustration de la une du deuxième cahier de l'*El Demócrata* du lendemain.

Manterola alluma une nouvelle cigarette ; la fenêtre l'attirait. Le visage de la femme s'était-il évanoui ?

Gonzaga dessinait en chantant. Il tenait de la main droite un crayon très fin et de la gauche faisait les ombres au fusain. Manterola respira profondément et se replongea dans la contemplation du ciel bleu. Un brusque mouvement le ramena à la fenêtre du deuxième étage de l'immeuble d'en face : une vitre qui se brise, un homme qui tombe en agitant les bras. Le dernier hurlement, juste avant que tout finisse par un bruit sec sur le sol.

Manterola fixa la vitre cassée et son regard rencontra pendant deux secondes les yeux terrorisés d'une femme sur laquelle, quelques minutes auparavant, il avait jeté, sans mauvaises intentions, une cigarette. Le temps s'arrête, dit-on. Manterola aurait pu dire que le temps s'allongeait, qu'il s'étirait pendant que ses yeux fixaient successivement ceux d'une femme, et quinze mètres plus bas, la rue et le corps de l'homme qui était tombé. Finalement, la femme recula et disparut.

Le journaliste se pencha par la fenêtre pour bien constater que, parmi les débris de verre, il avait vu un corps au milieu de la rue. L'homme à terre commençait à attirer la curiosité des passants. Les réflexes émoussés, pour la première fois depuis des années, Manterola se dirigea vers l'escalier qui faisait communiquer le deuxième étage avec l'atelier.

– Eh bien, eh bien, qu'est-ce que c'est que ce bordel ? demanda Gonzaga tandis que Manterola piquait un sprint vers le cadavre.

7. Le blues du travailleur

Sa main enflée lui avait fait des misères toute la journée, et, plusieurs fois, le contremaître était venu le provoquer et se moquer de lui. Deux de ses camarades avaient pris sur eux le travail le plus dur, lui laissant le plus facile ; mais il était difficile d'échapper à l'œil inquisiteur de Maganda qui, entre les métiers à tisser ressassait son refrain :

– Je vous ai à l'œil, je vois tout. Vous pouvez bluffer le gérant ; mais moi, vous ne me blufferez jamais, putain de merde ! Je vous ai à l'œil.

Thomas Wong aimait le bruit de l'usine, l'humidité de l'air, l'odeur des colorants. En tant que menuisier, il avait l'avantage de ne pas vivre enchaîné à sa machine. Il allait d'un endroit à l'autre, mettant une cale par-ci, réparant une palette par-là ; ou, comme aujourd'hui, fabriquant au milieu d'une cour des caisses qui un jour parcourraient le monde dans la cale d'un bateau.

– Laisse ça, Chinois, tu as la main trop bousillée, dit Martin. Il lui prit la masse, et se mit à enfoncer des clous à double tête.

Un bateau, un bateau qui voguerait, parcourant les mers et les océans, sans jamais s'arrêter, juste le temps de prendre au vol deux ou trois mots d'une langue à chaque fois différente, avec un sens à chaque fois nouveau.

Ah, nostalgie, nostalgie ! Nostalgie par procuration, pensa-t-il. Puis il se mit à réfléchir au moyen de casser la gueule au contremaître.

Ça traînait depuis une semaine. Depuis que lui et deux menuisiers de La Magnolia, une usine textile de Contreras, avaient reçu l'ordre de se déshabiller à la sortie pour être fouillés, soi-disant parce que de nombreux outils disparaissaient ; ils avaient refusé, avaient rameuté des camarades. Ils avaient finalement obtenu gain de cause et le contremaître voulait le leur faire payer.

La main enflée était un bon prétexte et Maganda avait passé sa journée à lui chercher des poux dans la tête. Le petit chef prenait un malin plaisir à provoquer, à asticoter les travailleurs, à les humilier un par un. C'était un de ces types qui ont en permanence besoin d'affirmer leur existence et leur pouvoir. Dans ces temps mouvementés pour l'industrie textile, il tenait sa place de garde-chiourme d'un patronat en lutte féroce contre les syndicats.

Le Chinois quitta ses amis qui clouaient toujours des caisses et se dirigea vers l'entrepôt pour voir si le bois qu'il avait demandé pour réparer les socles fendus de deux vieux métiers à tisser était arrivé. A l'entrée de l'entrepôt, il rencontra Cipriano, mécanicien spécialisé et secrétaire général du syndicat.

– Alors le Chinois ? Comment te traitent ces chiens de bourgeois ? J'ai vu Maganda rôder autour de toi toute la matinée.

– Je me suis bousillé la main, dit le Chinois en guise d'explication.

– Sur qui tu as cogné, cette fois ?

Il haussa les épaules. Parler n'était pas son truc. Les histoires du Chinois, c'étaient les autres qui les racontaient. On les apprenait de façon détournée, par des types qui l'avaient connu ailleurs. En d'autres temps.

Tant pis, se dit Cipriano. "Oriental et mystérieux", comme écrivaient les chroniqueurs de *l'Universal* qui menait alors une campagne obstinée contre les Tongs chinois de Mexico qui contrôlaient le jeu clandestin et les fumeries d'opium.

– Nous avons aujourd'hui une réunion du syndicat pour discuter du bal et de la solidarité avec l'usine de la Magdalena, n'oublie pas de venir.

Le Chinois fit oui de la tête et reprit son chemin sans hâte.

L'usine était divisée en trois grandes bâtisses et deux entrepôts annexes qui bordaient une immense cour empierrée donnant sur des bureaux. Les bâtisses, mal éclairées par de très petites fenêtres haut placées, abritaient trois cent cinquante travailleurs et deux contremaîtres. Selon une vieille tradition, les administrateurs français de l'usine n'y mettaient jamais les pieds pendant la journée de travail. Ils n'y allaient que quand les ouvriers n'étaient plus là. Leur monde était celui des bureaux. Celui du Chinois et de Cipriano était l'usine où ils déambulaient de droite à gauche, travaillant par à-coups, fouinant ici et là, faisant de petits boulots qui leur permettaient de parler avec les ouvriers qui, enchaînés à leur machine les accueillaient comme des pigeons voyageurs. Aux dernières élections, Cipriano, le dirigeant incontesté, avait été élu secrétaire général après six mois sans responsabilités syndicales. Le Chinois était devenu délégué.

Thomas Wong parcourut tout l'entrepôt à la recherche du responsable qui le renseignerait. Il finit par le trouver, perdu au milieu de rouleaux de tissu. L'autre multiplia les explications oiseuses sur la non-livraison du bois attendu. Le Chinois pensa qu'il y avait là une magouille pour voler un peu d'argent à l'usine. Thomas était très clair à ce sujet. Les combines des ouvriers non syndiqués, c'était leur affaire. Avec un ouvrier syndiqué, ç'eût été autre chose. Il existait un code de conduite implicite mais très clair qui voulait qu'un travailleur se batte ouvertement contre l'usine. S'il voulait plus d'argent, c'est à travers le combat syndical qu'il devait le gagner, pas en volant. Ce code, les vieux l'avait transmis aux jeunes et c'est comme ça que le syndicat était né. Les clauses étaient nombreuses. Par exemple, ne parler à un contremaître que pour des motifs de travail ; proposer soi-même des solutions aux problèmes ; protéger les malades, soutenir et encourager les apprentis.

35

Quand Thomas revint vers la cour pleine de liteaux de bois pour reprendre la construction des caisses, le petit chef lui tomba dessus.

– Tu ne fous rien ! le Chinetoque.

Le Chinois laissa tomber les planches de bois et dit lentement.

– Ecoutez, ces del'niers mois, tl'ois contl'emaîtl'es sont mol'ts dans les usines du côté de San Angel et Contl'el'as. Vous savez poul'quoi ? Pal'ce qu'ils n'ont pas appl'is à l'ester à l'écal't dans une gl'ève entl'e les tl'availleul's et l'entl'epl'ise. Je ne pal'le pas beaucoup. Faites votl'e tl'avail, moi, je fais le mien. C'est tout.

– Voyez-vous ça... Le petit Chinois qui cherche à me faire peur.

Le Chinois frappa une seule fois, de sa main enflée. L'arcade droite éclatée, Maganda tomba raide en arrière. Il tenta de se relever mais le regard froid du Chinois l'arrêta.

Thomas reprit ses planches et continua son chemin.

Il déposa son chargement devant ses camarades qui avaient assisté à la scène. Il massa sa main blessée qui enflait de plus en plus.

8. Les personnages jouent aux dominos et découvrent l'existence d'un rapport entre le joueur de trombone et la dame

– ... Un imperméable gris-bleu, un ruban de velours bleu au cou. Des poignets de dentelle blanche et un bonnet façon turban, décrivit le journaliste.

– Caramba ! Qui donc aurait soupçonné en toi ce talent pour observer les toilettes féminines, dit le poète en riant pendant qu'il faisait danser les dominos sur la table de marbre.

– Incroyable ! je ne l'ai vue qu'une fois, un instant. Quand je suis arrivé dans la rue, je suis passé à côté du mort et je suis rentré dans l'immeuble. Mais j'ai eu beau chercher partout, elle n'y était pas.

– Tu crois que c'est elle qui l'a tué ? demande Executor en se servant un généreux verre de rhum tandis qu'il étire par-dessous la table ses pieds chaussés de bottes neuves, résultat d'un procès qu'il vient de gagner.

– Comment savoir ? Manterola gratte sa calvitie naissante. Il revoit la femme et son regard effrayé juste après la chute du corps à travers la vitre du deuxième étage.

– L'histoire du joueur de trombone. Cette chute. Deux morts violentes en deux jours, juste sous nos yeux. On se croirait dans un village, pas dans la grande ville anonyme.

– C'est toi qui commences ou c'est moi ? demande le Chinois à Manterola, en l'arrachant à sa rêverie.

– Ta main ne guérira jamais si tu continues à cogner les gens, lui répond Manterola, en l'invitant d'un geste à commencer.

Le Chinois joue le double-trois ; le poète et l'avocat rapprochent leurs chaises de la table. Le rituel est commencé. La conversation se mêle aux coups secs des dominos jusqu'à former un enchevêtrement de mots et de double-cinq ou de cinq-quatre. Le bar est fréquenté aujourd'hui. Deux ivrognes tranquilles noient leurs peines au comptoir. Un jeune homme originaire du Nord, assis à une table à l'entrée, joue d'une guitare désaccordée. Un marchand de tissu libanais essaie de convaincre à grands cris deux de ses amis des avantages d'une route commerciale à dos de mule pour Acapulco, fief des commerçants espagnols, où ses compatriotes ne parviennent pas à s'implanter. « *Last but not least* », à l'autre bout du comptoir, Ross le Téméraire raconte à un barman blasé comment à Chicago, trois ans avant, il a battu le record de vitesse à moto des Etats-Unis. Et comment il s'est retrouvé obligé de faire la tournée des théâtres minables dans des bleds perdus. Le bavardage de Ross est accompagné d'abondants rugissements de moteur, produits par une gorge qui se rince fréquemment au mezcal Caballito.

– A quoi as-tu pensé en fouillant le portefeuille du mort ? demande le poète.

– Ça ne t'a pas fait froid dans le dos ? insiste l'avocat.

– Joue, on ne craint rien, conseille Manterola devant les doutes du Chinois.

– Toi, tu te concentres. Moi, je gagne, répond Thomas en jouant le deux-un.

– Fais gaffe, poète, on va avoir droit au précipice, s'exclame Executor, pour tester les réactions de ses adversaires.

– Je ne l'ai pas fouillé, reprend Manterola. Un policier était déjà à côté du cadavre quand j'en ai eu assez de chercher la femme dans l'immeuble. J'ai dit que j'étais journaliste et le policier m'a montré le portefeuille du défunt. Et là, surprise...

Le poète bloque le jeu avec les deux et les fait passer tous. Il en jouit silencieusement, puis débloque avec le deux-trois et garde l'avantage.

– Ah, mon salaud, tu l'avais bien mis de côté, celui-là ! remarque son partenaire, l'avocat Executor.

– Les hasards du destin, réplique humblement le poète.

– On s'est fait baiser, Thomas ! constate Manterola.

– Tant qu'il y a de la vie, il y a de l'espoir', joul'naliste, rétorque le Chinois.

– ... surprise : je lis la carte d'identité du mort : colonel Froilán Zevada. Je me dis : avec toutes ces coïncidences, il y a de quoi être nerveux. Très nerveux, même. Deux Zevada en une semaine, un pour toi et l'autre pour moi...

– En effet, souligne le poète. Et si tu avais vu comment on a fait sauter la cervelle au joueur de trombone, tu aurais été encore plus nerveux.

– Ne me dis pas que c'est la première fois que tu as vu quelqu'un se faire sauter la cervelle ? Tu as été avec Pancho Villa. Chez lui, ça se pratiquait couramment, remarque l'avocat.

– En plus, on la mangeait, ajoute le Chinois.

– Vous êtes bêtes. Ce qui m'a rendu nerveux, c'est qu'on tue un type pendant qu'il jouait la *Marche Alvaro Obregón*.

– Ça oui... reconnaît l'avocat.

Juste à ce moment, le Chinois bloque le jeu avec les quatre et fait passer tout le monde. Son partenaire reprend l'avantage.

– Qu'est-ce que je disais, joul'naliste ?

– Je savais bien qu'il fallait faire confiance à l'éternelle sagesse orientale. Dieu est immortel.

– Ce ne serait pas plutôt Confucius ? demande le poète.

– Moi, je suis athée, signale Thomas Wong en souriant.

– Tu te souviens de la photo de la demoiselle que tu as trouvée dans la poche de l'uniforme du musicien ? demande Executor.

– Parce que tu crois que... commence le poète.

Manterola lève les yeux des dominos et décrète :

– Avocat, tu as ce qu'on appelle une mémoire d'éléphant.

9. Le poète croise une manifestation

Au moment où commença le concert de klaxons, Valencia marchait sur le Paseo de la Reforma en direction des bureaux d'un Ingénieur des Mines. Ce dernier, tombé amoureux d'une danseuse de revue, avait demandé au poète "quelques petits vers d'amour pas trop chers", incapable qu'il était de mettre harmonieusement trois mots ensemble.

Il tourna la tête et contempla un spectacle inattendu : une manifestation d'automobiles avançait vers lui. En tête, six Ford. Derrière, une centaine de chauffeurs à pied, suivis par trois cents véhicules, autos ou camions. Quelques pancartes donnaient le motif de la manifestation : « Non au pointage ! Non au racket policier ! »

Le poète, qui allait dans le centre, décida de se joindre à la manifestation et grimpa sur le marchepied d'un des camions de queue :

– Vous voulez bien d'un accompagnateur solidaire ?

– Monte, lui dit le chauffeur.

Le poète se débattait entre l'envie de suivre le cours des événements et le besoin d'arranger un des vers destinés à l'ingénieur. Il se laissa peu à peu envelopper par les rimes et ne sortit du paradis cotonneux de la poésie que lorsque le cortège déboucha en klaxonnant sur la place centrale. De nombreux manifestants abandonnèrent leur automobile au milieu de la chaussée et le poète descendit pour se rendre à son rendez-vous. C'est alors que commencèrent les coups de feu contre les chauffeurs, tirés depuis l'un des balcons de l'hôtel de ville. La foule dispersée sur la place centrale courut pour se mettre à l'abri, certains vers le palais national, d'autres vers les portiques.

Le lendemain, Manterola, inspiré par le récit du poète, écrirait dans l'*El Demócrata* : « Il advint ce que personne n'attendait. La tragédie déplia ses ailes ensanglantées sur tous ceux qui passaient à sa portée. »

Les chauffeurs répondirent en jetant des pierres contre les fenêtres de l'hôtel de ville et les pompiers intervinrent avec leurs lances à incendie. La police montée chargea et les chauffeurs répliquèrent en lançant leurs véhicules contre les chevaux. Deux gendarmes roulèrent au sol les côtes cassées à côté de leurs montures éventrées. Les ambulances de la Croix-Rouge et de la Croix-Blanche arrivèrent en même temps, mêlant leurs sirènes à la pagaille. Le capitaine Villasenor, que le poète avait connu dans sa jeunesse, fut littéralement balayé par un groupe de chauffeurs qui l'écrasèrent contre l'un des portails du palais national.

Un chauffeur gisait au sol, transpercé par une balle. Le poète, caché sous un petit camion à benne, les yeux exorbités, voyait passer des pieds, des pneus et des casques. Les pierres volaient dans le ciel, au-dessus de la grande place de Mexico. Les tramways ne circulaient plus. Un groupe de chauffeurs chargea la façade de l'hôtel de ville. Le poète vit pleuvoir les pierres sur les fenêtres d'où était partie la fusillade. Les employés municipaux qui l'avaient déclenchée abandonnèrent leurs positions.

Le poète profita d'un moment d'accalmie pour abandonner son poste d'observation et quitter la place, accroché à l'arrière d'une ambulance.

Le lendemain, en lisant l'article de son compagnon de dominos, il apprit que le bilan des affrontements entre employés municipaux, chauffeurs, pompiers, gendarmes et police montée s'élevait à cinq morts et plus de vingt blessés.

– Et vous y étiez ? lui demanda l'Ingénieur des Mines, deux heures après.

Le poète remua les sourcils, indécis. Il y avait été sans

42

y être. « Saleté de ville », pensa-t-il, sans savoir à qui en vouloir parce que l'écho des balles continuait à lui siffler aux oreilles.

10. Rencontre, destin ou malchance

Il lui tendit la photo mais refusa de la lâcher. Tous les deux, le journaliste et le flic, tirèrent doucement sur le petit carton pendant quelques secondes.

– Merci capitaine, dit Manterola en lâchant soudain.

– Vous avez découvert quelque chose ? demanda le capitaine de la police municipale, personnage maigre, aux yeux vitreux, cherchant de ses pouces les poches d'un gilet inexistant.

– Non, bien sûr. Je cherchais juste l'inspiration pour un prochain article.

En sortant du commissariat, le journaliste enjamba un ivrogne qui avait eu la bonne idée de choisir cet endroit pour y faire une petite sieste. La femme était la même, il n'y avait aucun doute. Cela simplifiait les choses. Sur le bord inférieur de la photo, un petit cachet avait échappé à la perspicacité du poète. On y lisait un P et un L entre-croisés. Une promenade poussiéreuse conduisit le journaliste jusqu'au studio Photo Larios, qui travaillait fréquemment avec son journal. Une demi-heure plus tard, le journaliste en sortait tenant dans la main un tirage semblable à celui du commissariat. Avec un avantage : au dos de celui-là figurait l'adresse du modèle.

Il hésita un moment puis descendit l'avenue Juárez en supportant stoïquement la brûlure du soleil qui faisait dégouliner des gouttes de sueur de son crâne dégarni et de ses tempes. « Il y a des journalistes de cavalerie et des journalistes d'infanterie », se dit-il. Il traversa la rue en esquivant une calèche conduite par un citoyen qui avait déjà plusieurs mezcals dans le nez et qui semblait avoir communiqué à ses chevaux son sens de la ligne droite.

Le poète attendait le journaliste. Il travaillait à une commande du général Viñuelas : une chanson peu flatteuse pour son supérieur le général Manrique, futur chef de la région militaire de Mexico. Le commanditaire exigeait, en échange du paiement, l'anonymat et des vers de qualité. Le poète essayait des variantes autour de :

« As-tu vu la petite trique du père Manrique ? ... » mais il ne trouvait ça ni original ni affûté.

Il buvait un soda quand il vit dépasser du coin de la rue la tête de son ami le journaliste dont la démarche évoquait une locomotive poussive. Leur amitié était antérieure aux parties de dominos. Le journaliste l'avait aidé à sortir de la misère en lui trouvant des petits boulots dans des journaux. En échange, le poète était un jour arrivé juste à temps, alors que le journaliste, après un gros coup de cafard amoureux, essayait de se pendre.

Tous les deux parlaient peu du passé. Le poète se voyait lui-même et ses trois amis comme ces déchets que les vagues abandonnent sur la plage. Inclassables, enfants des bouleversements sociaux qui les dépassaient de beaucoup et dont ils avaient été à la fois les observateurs, les protagonistes et les victimes.

— Je l'ai, je l'ai, cria Manterola en s'épongeant avec un mouchoir tiré de la poche de son gilet.

— La femme ? C'est la même que la mienne ?

— Oui ! J'ai le nom, et même l'adresse.

— Fais voir. Le poète regarda attentivement la photo. C'est bien elle. Maintenant, qu'est ce qu'on fait ? Je t'imagine mal jouant au détective.

— C'est justement ce que j'étais en train de me dire. Il montra la bouteille. D'où sors-tu ça ?

— D'où veux-tu que je la sorte ? De chez le marchand. Viens, je t'invite.

Pendant que cette scène avait lieu sous une arcade de San Juan de Letran, l'avocat Executor se peignait avec un peu de brillantine. Il s'était réveillé en essayant d'échapper à un cauchemar. Après avoir compté les pièces de monnaie et les quelques billets qui lui restaient, il avait décidé qu'il ferait mieux de petit-déjeuner et déjeuner en une seule fois. Tandis qu'il se peignait, il opta, sans trop hésiter, pour le Club Tampico, près de la Citadelle. Son menu était fait : des côtelettes de porc au piment noir, une double portion. Cette pensée était en train de le tirer du trouble provoqué par le cauchemar, quand une main anonyme glissa sous la porte une invitation pour une séance privée de cinéma, organisée par Arenas, Vera et Cie chez une certaine veuve Roldán. C'était signé : « Ton amie Concha, Secrétaire Privée ».

Il mit un moment avant de réaliser qu'il ne connaissait pas Arenas, encore moins Vera et bien sûr, qu'il ignorait qui pouvait être Cie. Que son seul rapport avec la veuve Roldán et la luxueuse maison de la colonia San Rafael était en effet cette Conchita, qu'il avait un jour tirée d'un mauvais pas. Elle avait apparemment fait du chemin depuis.

Peut-être parce qu'il avait envie de voir Conchita dans son nouveau rôle de secrétaire, ou parce qu'il y avait un dîner gratuit à la clé, ou bien parce qu'il était devenu amateur de cinéma, Executor ne jeta pas l'invitation et la mit dans la poche de son gilet avant de sortir.

Il habitait dans un appartement pratiquement vide : un lit dans une pièce et un fauteuil au milieu de ce qui avait été un jour peut-être un salon, dans un quartier plein de maisons en construction, un kilomètre avant l'hippodrome de la Condesa. Une zone où, fruits de la spéculation, les terrains constructibles proliféraient et qui, dans la publicité des journaux, commençait à s'appeler Insurgentes-Condesa.

L'appartement en question avait appartenu à un ancien client de l'avocat qui s'était suicidé, et le lui avait laissé en héritage à la condition qu'au bout de dix ans, il y installe un bordel ou un cercle de jeu illégal. Executor, peu porté sur la gestion, avait décidé d'y habiter les dix ans, puis de partir en laissant les clés sur la porte. En attendant, son lit et son fauteuil, plus un portemanteau et une assiette (pour y mettre du lait pour un chat qui n'était pas à lui mais qui avait décidé d'hiberner dans l'appartement) étaient ses seuls meubles. Il n'y avait pas de raison pour que cela change. Quand il sortait, il savait qu'il ne laissait pas grand-chose derrière. Il avait ainsi la sensation que rien ne le poussait à rentrer chez lui. Executor enfonça son Stetson gris perle et sortit affronter le soleil.

Quand il descendit du bus dans la rue Balderas, il se cogna au journaliste et au poète qui discutaient base-ball sur le trottoir.

– Que faites-vous là, Excellences ?

– Nous élaborons la tactique, répondit le journaliste. Mais avec lui, pas moyen de parler une demi-heure de la même chose.

– Pas du tout, précisa le poète en se mettant en route sans s'inquiéter des autres. Monsieur est aussi bon journaliste qu'il est mauvais détective.

– C'est peut-être que le portrait me rappelle une femme pour qui j'ai eu beaucoup d'affection, avoua le journaliste.

Il luttait contre des souvenirs douloureux dont il ne voulait pas se débarrasser. Executor, comprenant, au ton de sa voix, ce qui se passait dans la tête du journaliste, l'interrompit.

– As-tu retrouvé la femme dont la photo était dans la poche du joueur de trombone ? Est-ce que c'est la même que tu as vue, Manterola, quand l'homme est tombé par la fenêtre ?

Le journaliste acquiesça et tendit la photo à l'avocat.

C'était une femme de trente ans au plus, les traits fins, le regard langoureux, à la mode de l'époque, un peu mince pour les goûts du pays et entièrement vêtue de noir. Belle, une beauté un peu dure. Elle était assise dans un fauteuil recouvert de brocart et regardait vers une fenêtre par où pénétrait une lumière qui brûlait une partie de la photo, produisant un effet exotique de halo sur son profil droit. Au revers du carton on pouvait lire : Margarita veuve Roldán et l'adresse.

– Ça alors, quelle coïncidence ! s'exclama Executor.

– Tu la connais ? demanda le poète.

– Non, je ne la connais pas, mais aujourd'hui j'ai reçu une invitation pour assister chez elle à une séance privée de cinéma.

– Merde ! Ça fait trop de coïncidences, remarqua le poète. Je crois de moins en moins aux coïncidences. D'abord l'assassinat du musicien sous mes yeux. Ensuite Manterola qui voit tomber son frère, le colonel. Enfin toi qu'on invite au cinéma.

– C'est peut-être le destin.

– Depuis qu'Obregón a gagné la bataille de Celaya, je ne crois plus au destin, mais à la malchance, dit le poète.

– La malchance, c'est bien ce que je voulais dire, souligna Executor.

11. Double séance

A huit heures pile, il était devant l'hôtel particulier de la colonia San Rafael. Il monta l'escalier du perron en même temps que trois musiciens du Jazz Band Torreblanca et deux officiers d'artillerie.

Il n'y avait personne pour les accueillir. Ils entrèrent donc sans présenter leurs invitations. Dans le vaste hall régnait le chaos qui précède les fêtes. Deux bonnes habillées en noir, avec des coiffes sur la tête, portaient des plateaux de gâteaux ; deux techniciens installaient des câbles dans une pièce obscure où on allait sans doute projeter les films plus tard. Executor alluma une Aguila longue sans filtre et s'accouda à une cheminée blanche ; les deux officiers suivirent son exemple. Enfin, Conchita apparut par une porte, accompagnée d'odeurs de viande grillée qui venaient de la cuisine.

– Quelle ponctualité ! C'est exaspérant ! Au Mexique on donne rendez-vous à huit heures pour que les gens arrivent à huit heures et demie... Maître Executor ! Quel honneur de vous compter parmi nous...

S'excusant brièvement auprès des officiers qui patientaient en fumant, elle prit Executor par le bras et se l'appropria.

– Je croyais que je ne te reverrais plus jamais, Alberto. Par hasard une amie m'a donné ton adresse, et comme je suis chargée des invitations pour les soirées de la veuve, j'ai pensé que...

Alors qu'elle triomphait au théâtre dans *Don Juan*, Conchita avait reçu un coup d'épée dans la cuisse et était tombée en hurlant dans la fosse d'orchestre. Cet incident avait brisé sa carrière. D'autant que, deux semaines plus tard, alors qu'elle était rétablie, elle avait, en lui lançant un vase de bronze, fracturé la clavicule du partenaire qui lui avait accidentellement porté l'estocade.

Petite et vive, la poitrine exubérante, des yeux verts qui faisaient pâlir d'envie les stars, Conchita terminait toutes ses phrases par un geste qu'elle avait acquis sur scène et qui, dans son langage corporel, indiquait une double affirmation.

Executor lui prit la main et y déposa un baiser.

– Arrête Conchita, tu me troubles.

– Encore heureux, ce n'est pas tous les jours que je tiens entre mes mains le seul avocat galant homme dans cette ville.

– Je suis venu en espion.

Conchita interrompit son bavardage et le regarda fixement. Executor recula devant les yeux verts et dit pour se rattraper :

– Pour voir ce que tu deviens.

– Eh bien, je... Attends-moi un instant, je vais m'occuper de ces idiots et je reviens.

Elle abandonna Executor qui tenait toujours son chapeau d'une main et une cigarette de l'autre.

Ce genre de soirées réunissait un mélange assez réussi de militaires arrivés, de demoiselles cultivées, de jeunes intellectuels parlant le grec, d'avocats entrés en politique, d'industriels prospères, d'actrices sur le retour. S'y mêlaient quelques pieds tendres, fils de famille de l'ancien régime, ralliés au nouveau pouvoir, dont les parents avaient eu l'habileté de liquider leurs haciendas pour réinvestir dans la spéculation immobilière. Pour couronner le tout, un paquet de profiteurs que la guerre en Europe avait fait débarquer au Mexique : princes russes, ingénieurs français, filous catalans, experts dans le perçage de murs et autres escroqueries aux bijoux de famille. Sans compter quelques journalistes de l'*El Heraldo* et de l'*Universal*, poètes du dimanche, et deux fils de commerçants espagnols. Une société trop neuve pour se sentir sûre d'elle-même, à la fois trop cynique et trop fruste se disait Executor, en voyant ces gens franchir des portes, se débarrasser de leurs gants (inutiles à Mexico) et de leurs chapeaux. Il lui manquait, pour se sentir à l'aise, des femmes de soldats ayant suivi leurs maris pendant la Révolution, des syndicalistes anars, des vendeurs de billets de loterie, des fermiers du Nord sur le point de gagner leur premier million, des chevaux et tout plein de prostituées de ses amies.

Les invités en retard poussaient les premiers arrivés tout au fond du hall et dans les pièces adjacentes. C'est ainsi qu'il se retrouva engagé dans une conversation sur les vertus du climat de Veracruz avec un industriel français, propriétaire d'une filature, et un capitaine de l'état-major. Le militaire connaissait par cœur la biographie du général Santa Anna et essayait de la glisser à tout propos. Quand Executor évoqua, à propos de la région de Veracruz, les exercices de magie qu'on y pratiquait contre les visages pâles du Nord, tous deux le regardèrent comme une bête bizarre. Préjugés d'une société nouvelle, formée dans l'urgence de la modernité, qui semble regarder le pays comme un cheval avec des œillères, se dit Executor en allumant une nouvelle cigarette et en tournant le dos à ses interlocuteurs de hasard. Il fit bien car au même moment, la maîtresse de maison descendait l'escalier. Elle était habillée d'une large tunique noire à peine agrafée par deux fleurs de velours blanches, de longs gants suédois, de bottes russes à douze boutons. La robe noire contrastait avec la pâleur de ses épaules et de ses bras. Elle souriait d'un sourire étudié, mis à la mode par une représentation de *la Dame aux camélias* quelques mois auparavant.

Executor, qui ne perdait pas le nord, se mit à observer les visages de ceux qui la voyaient passer. Il y trouva un peu de tout, de la jalousie, de la fascination, du mépris, et l'envie de lui sauter dessus. Il arrêta son regard sur un militaire qui était au pied de l'escalier. L'homme la regardait avec un mélange de satisfaction et de fierté.

« Ah, ah, le coquin », se dit-il. Il se mit à chercher

Conchita du regard et la découvrit à côté de la veuve Roldán, attentive à ses gestes. En passant à côté du militaire (des galons de colonel, remarqua Executor), Conchita lui lança un regard méchant. Enfin, ces dames et toute l'honorable assistance, y compris l'avocat, entrèrent dans la salle de projection. Executor s'assit dans les dernières rangées et prit ses dispositions pour piquer un roupillon clandestin pendant la double séance, où étaient prévus les *Opales du crime*, en dix bobines, avec Beatriz Domínguez, et *les Flibustiers*, adaptation en six bobines du roman d'Emilio Salgari.

Bercé par le piano mécanique, il ne tarda pas à s'endormir.

12. Les personnages jouent aux dominos, parlent d'une veuve, du hasard et d'un colonel de gendarmerie

– Et il était bon ? s'enquiert le poète.

– Le roupillon ? demande Executor.

– Le dîner, bien sûr ! précise Valencia.

– Ça aurait pu être mieux, dit Executor tout en essayant de déconcentrer le journaliste pour qu'il ne lui bloque pas son double-deux.

– Et elle ? demande Manterola, tandis qu'impitoyable il lui coince son double-deux.

– Elle est spéciale. Elle en impose sans en avoir l'air. Elle porte un nom sonore : Margarita, veuve Roldán... Elle est au courant de tout, elle surveille. Une Lucrèce Borgia mais en plus doux, dirais-je.

– Pertinente comparaison : il n'y a pas que ton double-deux qui coince, remarque le poète.

Il est deux heures du matin passées. Le barman répète le rituel. Il éteint les ampoules une à une comme s'il plumait un coq ou éteignait les bougies d'un gâteau. Il laisse nos personnages sous un cercle de lumière solitaire. Une scène qui a des allures de sainte Cène, le corps du Christ en moins et quatre verres d'excellent rhum de la Havane en plus. Le bar est presque désert. Au pied du comptoir, Ross le Téméraire est affalé. Depuis qu'il a perdu son rang de vedette du motocyclisme, il s'abrutit au mezcal. Il y a pris goût après la célèbre course de Toluca où tout ce qu'il a gagné, c'est la peur panique de s'écraser à 100 kilomètres à l'heure.

– Les jeux sont faits, dit le Chinois en posant son dernier domino.

Il ne se sent pas toujours à l'aise, lui l'ouvrier, parmi

ses amis. Il lui semble que leur humour acéré effleure le nouveau régime sans l'atteindre. Comme s'ils n'arrivaient pas, malgré leur marginalité volontaire, à briser les chaînes qui les attachent au monde d'où ils viennent.

– Eh bien dis donc, celui-là, tu l'avais bien gardé Thomas ! s'exclame le journaliste en se mettant à compter les dominos d'Executor et Valencia, visiblement consternés.

– Et l'essence ? L'essence de l'affaire ? interroge le poète pour oublier une partie qu'il est en train de perdre sans gloire.

– Résumons : en vedette, une veuve appétissante qui tient son monde et un colonel que vous connaissez bien, plus une secrétaire qui n'aime pas le colonel. Autres personnages de la maison : une hypnotiseuse, guérisseuse de migraines et autres rages de dents, dont la veuve ne peut se passer ; un fils d'industriel français, apparemment chaud lapin ; un Espagnol plutôt rustre, ex-cul-terreux – comme dit le dicton, le singe reste singe, fût-il vêtu de pourpre – et un lieutenant de gendarmerie qui m'a l'air d'être la bonne à tout faire du colonel. Voilà pour les intimes. Les autres, des paumés dans mon genre et même plus méprisables que moi.

– J'ai une nouvelle donnée pour toi, dit le journaliste tout en léchant les gouttes de rhum collées à sa moustache. Je sais comment est mort le célèbre Roldán, ex-mari de l'actuelle veuve : empoisonné.

Ses trois camarades le regardent fixement. Il savoure leur surprise qui prive Executor de son monopole sur la conversation.

– Empoisonné par des vapeurs de plomb. Dans l'imprimerie, on appelle ça le saturnisme.

– La maladie des typographes, mon père m'en a parlé un jour, se souvient le poète. Il paraît qu'ils doivent boire beaucoup de lait, à titre préventif.

– Vraisemblablement, le mari de la veuve n'en a pas bu assez, remarque Executor.

– Comment ça s'est passé ? demande le Chinois, soudain intéressé.

– Il était propriétaire de *la Industrial*, le grand atelier de typographie.

– Ils ont un syndicat affilié à la CL'OM[1] dit le Chinois en ramenant sa science.

– Et la femme ? Décris-moi la femme. Je ne l'ai vue que sur la photo, insiste le poète, qui semble se désintéresser de l'empoisonnement.

– Belle, dominatrice, jeune...

– En plus, sa photo était dans la poche du joueur de trombone assassiné, et elle-même se trouvait là où le frère du musicien s'est jeté par la fenêtre, ajoute Manterola.

– En effet, dit le poète.

Pendant qu'on mélange les dominos, le barman pose une deuxième bouteille de rhum sur la table. En douceur : le bruit des dominos est sacré.

– Le colonel, c'est bien Gómez ? interroge le Chinois, qui pense au chef de la Gendarmerie de Mexico.

– Oui l'ami. Jesús Gómez en personne. Le Gómez en question s'est illustré l'année dernière en lançant la cavalerie sur des couturières en grève. C'est lui qui a fait tirer sur les cheminots. Il est la bête noire des anarcho-syndicalistes de la vallée de Mexico.

– La femme m'en évoque une autre, lance Manterola en prenant un à un ses sept dominos pour les disposer devant lui.

– C'est toujours la même histoire. Une femme qui en évoque une autre qui en évoque une autre...

– Allons, allons ! fait l'avocat.

– Trrrois cents mètrrres ! éructe le champion motocycliste, affalé au pied du bar.

Le coucou sonne la demie.

1. CROM : Confédération Révolutionnaire des Ouvriers Mexicains.

13. Le blues du travailleur

Le poète ouvrit le journal et contempla son œuvre avec satisfaction. Même non signé et inférieur à ses capacités, c'était un travail imprimé noir sur blanc, donc tangible.

« Contre la blennorragie, notre traitement agit. Action rapide, résultat garanti. »

La Blennorrine, produit concurrent, n'avait qu'à bien se tenir.

Dans la colonne de gauche on pouvait lire un autre de ses textes, abondamment illustré :

« Aux Etats-Unis, des milliers de Mexicains connaissent déjà les vertus de Tanlac. Des témoins ont vu de leurs yeux vu leurs parents, voisins et amis retrouver la santé et le bonheur grâce à Tanlac, le remède de renommée mondiale pour les douleurs intestinales. »

Celui-là, il l'appréciait tout particulièrement en raison de son ton un peu bigot, accentué par le visage extasié du grand-père pétant le feu après avoir pris du Tanlac.

En bas à droite de la page, on trouvait une autre de ses meilleures œuvres de synthèse :

« Blennorragie persistante ? Finie l'attente. Passez à l'offensive avec l'arme décisive. »

Là, c'est le ton martial qui séduisait. Le jeune officier, qui avait une tête à attraper la chaude-pisse, était invité à suivre le traitement spécial pour onze pesos, sourire compréhensif de l'infirmier compris.

Il y en avait d'autres, produits de sa plume au chômage :

« N' attendez pas l' hôpital, prenez Vital ! »

Il avait trouvé non seulement la formule, mais le nom du médicament.

Pour le poète, ce travail non reconnu, que certains imbéciles commençaient à appeler "publicité", représentait une bonne blague et l'occasion d'exercices de style matinaux, sans compter de quoi se payer quelques assiettes d'œufs pochés à la bière accompagnés de *tortillas*. C'était comme une preuve de son passage dans les eaux troubles de la ville, un signe d'existence. Mais ce dont il était sans doute le plus fier, depuis deux ans qu'il exerçait ses talents (*« Quand le lumbago vous prend par-derrière... »* – il aimait l'ambiguïté magique de celui-là), c'était qu'on ne l'avait jamais convaincu d'avaler une seule de ces satanées pilules. (*« Elles se sucent, elles apaisent, ce sont les pastilles du docteur Lopez »*).

En parcourant tous les jours la page des réclames médicales, le sourire aux lèvres, le poète avait des airs de propriétaire foncier qui inspecte avec satisfaction son domaine.

Ce matin-là, tandis qu'il travaillait, la fenêtre ouverte, pour aérer et lutter contre l'humidité, il relut plusieurs textes de la concurrence, avant de se lancer bille en tête dans la recherche du nom d'un produit, élaboré par la pharmacie Spinoza, sensé soigner *« les maladies du sexe féminin, migraines, faiblesses, stérilité, tumeurs, dérèglements du cycle, taches, etc... »*

Il trempa le porte-plume dans l'encrier et, sans hésiter, se mit à écrire : *« Fémina de Spinoza, la Substance Infinie... »*

14. Pourquoi me suivez-vous ?

La femme se retourna, et lui demanda en le regardant :

– Pourquoi me suivez-vous ?

– Je m'appelle Manterola, je suis journaliste. Et votre visage...

Ils étaient au milieu du parc central ; la veuve Roldán se protégeait des rayons de soleil avec une ombrelle jaune. Le journaliste, en galant homme, s'était senti obligé d'enlever sa casquette anglaise, exposant son crâne dégarni à la chaleur. A côté d'eux, un petit garçon vendait des sorbets au sirop.

– Bien sûr, ce n'est pas parce que je suis journaliste que je me permets de suivre une dame dans Mexico. Si c'était le cas...

Elle sourit. En sortant du journal, Manterola était tombé sur la femme, qui était accompagnée. Sans hésiter il s'était mis à suivre le couple. A un moment, l'homme avait quitté la femme et s'était éloigné à grands pas. Le journaliste en avait profité pour se rapprocher.

– Vous voulez que j'arrête de vous suivre ou vous préférez connaître le pourquoi de mon attitude ? lui demanda Manterola.

La femme sourit de nouveau et se dirigea vers un banc proche du kiosque. Le journaliste la suivit.

– Eh bien ? demanda-t-elle une fois assise.

– Je connais seulement votre nom de veuve, madame, je voudrais savoir votre nom de jeune fille.

– Je m'appelle Margarita. Margarita Herrera.

– Voilà. Je me trouvais par hasard au deuxième étage du journal le jour où le colonel Zevada s'est jeté par la fenêtre de l'immeuble en face. C'est là que j'ai eu la chance de vous apercevoir.

La femme pâlit un instant, puis se ressaisit.

– Pourriez-vous m'offrir une glace ? Il fait une chaleur insupportable.

Le journaliste acquiesça et fit signe au vendeur de glaces ambulant qui se tenait non loin de là. Elle contemplait en silence une des fontaines. Le journaliste la fixa calmement. Il se dominait à nouveau.

Des cavaliers en costume national passèrent à proximité. Un groupe d'étudiants du Collège Militaire qui avaient sans doute séché un cours s'amusaient à se lancer une vareuse qu'ils avaient bourrée de papiers.

– La chance de m'apercevoir ? Je ne comprends pas.

– Evidemment, j'aurais préféré une autre circonstance, mais votre visage angoissé m'a ému, répliqua le journaliste.

– Vous pensez que c'est moi qui ai poussé le colonel ?

– Je suis journaliste, pas juge. Je n'accuse pas. Seule la curiosité me pousse...

– Qu'est-ce que vous savez d'autre sur moi ?

– J'ai aperçu votre photo dans la poche d'un joueur de trombone décédé il y a peu.

La femme pâlit de nouveau. Ses doigts serraient nerveusement un mouchoir en soie dont les broderies étaient assorties à l'ombrelle. Elle laissa tomber par terre la glace que le journaliste lui avait offerte et qu'elle n'avait pas encore goûtée.

– Chère madame, si je puis vous être utile en quoi que ce soit, soyez assurée de ma discrétion...

Elle le regarda fixement, cherchant de ses yeux noirs un signe sur le visage du journaliste. Elle y vit les cicatrices que provoquent les chagrins d'amour.

– Vous pouvez me répéter votre nom, monsieur le journaliste ?

– Pioquinto Manterola.

La vareuse des étudiants tomba tout près. L'espace d'un instant, ils se retrouvèrent en plein milieu du chahut. Elle se leva et, d'un geste, intima au journaliste de rester assis.

— Vous aurez bientôt de mes nouvelles, monsieur, dit-elle.

Elle s'éloigna en faisant tournoyer son ombrelle. Manterola la suivit du regard. Elle avait tout de suite trouvé ses points faibles. Touché mais pas coulé, se dit le journaliste.

15. Belles histoires du passé :
Pioquinto Manterola

Le poète doit bien s'en souvenir, lui qui a été le témoin privilégié des faits. J'ai d'abord tâté ma gorge, j'ai défait le nœud, puis je me suis mis à pleurer en silence. Comme pleurent sûrement les muets, sans sanglots. Juste de grosses larmes qui coulaient sur mon visage. L'autre moi, le nouveau, le survivant ne faisait rien pour les arrêter. C'est le premier souvenir que j'ai de moi-même, de ma nouvelle vie. Et puis la sensation que la nouvelle vie était tout imprégnée de l'ancienne, que je n'avais pas réussi, même si j'avais frôlé la mort, à me débarrasser du bagage que j'avais voulu emporter avec moi. C'est là que je me suis dit : « Si tu veux continuer à vivre avec toi, il va falloir que tu te supportes. »

Depuis, je suis plus indulgent envers mes petitesses, plus maître de mes faiblesses, moins dur avec ce quadragénaire qui continue à se battre contre les minutes, les heures. Contre un temps qui m'a été prêté ; je devrais peut-être dire rendu.

16. Meeting avec bal

On avait fermé la rue du Rosaire des deux côtés. On avait mis à un bout une voiture en travers et des pots de fleurs. A l'autre extrémité, on avait placé des grillages de poulaillers. C'est là qu'officiait le service d'ordre, sans dissimuler les revolvers ou les pistolets qui gonflaient les poches arrière des pantalons. Sur les murs on avait accroché des affiches de la CGT et de la Fédération du Textile. Les membres du service d'ordre portaient un brassard rouge. Il était vert pour ceux de l'accueil. Dans la rue, avec la coopération des voisins, s'étaient installés les vendeurs de fritures et de brochures. Au centre, on avait dressé une estrade pour l'orchestre, les chanteurs et les orateurs.

A huit heures, la foule commença à arriver. Ils venaient de San Angel et Contreras, de Chalco, de Tlalpan, de Doctores, de San Antonio Abad, du faubourg de Tacubaya ; ils portaient leurs habits du dimanche, leur unique paire de bottes bien cirées, le chapeau bien brossé, les bords rabattus : la tenue des ouvriers du textile. Avec des gilets un peu râpés mais avec tous leurs boutons, des chemises blanches. Sous le gilet le pistolet, le calibre 22 à cinq coups, le Browning, le revolver belge acheté à Veracruz, le Colt court, le rasoir.

Une foule en fête mais sur le pied de guerre. Les militants arboraient un ruban rouge à la boutonnière, sur lequel on pouvait lire, en lettres dorées : « Ni Dieu ni maître », « Fils de la terre », « Sans chaîne », « Parias ».

L'orchestre Barrios Rosales fit son apparition peu de temps après et se fraya un chemin jusqu'à l'estrade.

D'après le programme, après l'ouverture (du Wagner,

tant pis), Jacinto Huitrón devait prendre la parole. Les derniers accords à peine envolés, le leader anarchiste, un maigre, grimpa sur l'estrade et ouvrit le feu :

– Célébrons le printemps de l'émancipation ! Jupiter balaie déjà de son corps les marches du trône ! Mars a brisé ses armes et se dévore lui-même ! La nef du temple s'effondre sur les adeptes de Janus ! Crésus et Temis sa concubine s'égorgent avec l'épée à double tranchant ! Vive l'anarchie !

Le poète, qui serrait de près son amie Odile, l'ouvrière de la cartoucherie, ne put s'empêcher, en professionnel, de lancer un sale regard au poète improvisé. Foutue manie qu'ont les anarchistes de tartiner leur message social de poésie de troisième zone. Heureusement, l'orchestre enchaîna sur un tango. D'où venait cette musique sauvage et doucereuse qui se répandait dans les milieux ouvriers de la capitale ?

Quand le journaliste Manterola fit son apparition tenant par le bras l'avocat Executor, l'orchestre attaquait une polka. Manterola rayonnait. Les fêtes populaires étaient tout ce qu'il aimait. Le grouillement, la gaieté des autres, lui semblaient des milliers de mains de fées excitant ses sens. Il aimait les visages plutôt fermés des travailleurs du textile, leurs sourires rares mais francs. Il aimait les jeunes couturières du Palais de Fer, les petites ouvrières de la Nouvelle France, les jeunes employés d'Ericson, à mi-chemin entre le prolétaire et le technicien.

Ils passèrent discrètement à côté du poète pour ne pas déranger son entreprise de séduction et se mirent à la recherche de leur ami le Chinois au milieu de la foule qui inondait la rue. Elle ondulait au rythme de la danse, des conversations, des allées et venues.

Thomas était en discussion avec Mendoza, jeune dirigeant des ouvriers anarchistes de l'industrie textile qui vendait des brochures.

– Il faut être patient, Thomas, disait Mendoza.
– Qu'ils en aient eux, de la patience, répondait

Thomas. En apercevant Executor et le journaliste, il les appela d'un geste.

– Mendoza, voilà mon ami l'avocat, illustl'e, tl'ès illustl'e poul' des motifs qui ne t'intél'essel'ont pas beaucoup, mais en plus il a tl'aduit Malatesta. Il peut te dil'e ce que Malatesta pensait de la patience.

– Excuse-moi, mais je ne cite jamais Malatesta pendant une fête.

– Ce n'est pas une fête, ou plutôt c'en est une où on peut citer Malatesta, ça ne dérangera personne, fit le dirigeant syndical.

La danse s'était généralisée, et le journaliste abandonna la discussion naissante pour se fondre au milieu des couples. Quelque part, on lançait des balles de base-ball sur une caricature de Morones, dirigeant inamovible du syndicalisme jaune. Le lot, pour celui qui dégommait trois fois l'effigie du gros Morones, était un recueil de chansons libertaires. Plus loin on pouvait gagner les œuvres de Bakounine à la loterie, et à un autre endroit un bouc apporté par les grévistes de l'Etoile.

A la tribune, un jeune homme, un lacet en guise de cravate, maigre, le regard d'une intensité qui trahissait des jours et des nuits consacrés au mouvement, prononçait un discours enflammé :

« L'organisation n'est pas le refus de penser. Elle n'a que faire des moutons, elle veut des militants. La critique ne doit pas être étouffée, on doit la laisser couler comme un fleuve vertigineux... »

17. Mouvements nocturnes

L'avocat Executor passa sa jambe gauche par la fenêtre, prit son chapeau à la main pour l'empêcher de tomber et pénétra dans l'immeuble.

En sortant de la fête anarchiste, et malgré les conseils du journaliste, il avait décidé d'aller faire un tour dans la maison de la veuve. Il avait tracé dans sa tête un plan de l'intérieur et il pensait que ce qui pouvait lui arriver de pire, c'était d'être découvert dans une maison qui n'était pas la sienne. Il pourrait toujours prétendre qu'il était sur le chemin du lit de son amie Conchita.

Il ferma les yeux pour déshabituer sa rétine du lampadaire de la rue et l'accoutumer à l'obscurité. Il compta dans sa tête jusqu'à dix, buta contre un fauteuil qui n'aurait pas dû être là, chercha à tâtons la rampe de l'escalier qui menait au rez-de-chaussée. Finalement, après avoir trébuché contre deux nouveaux obstacles et quelque chose qui pouvait être soit un chat soit un rat monumental, il trouva l'escalier et commença à le descendre. Sa formidable mémoire lui disait qu'il y avait vingt et une marches jusqu'en bas, mais lorsqu'il atteignit la vingt-cinquième, il se dit qu'il s'était soit trompé de maison, soit engagé dans l'escalier menant à la cave, ce qui n'était pas prévu au programme. A trente-cinq marches, il arriva à la conclusion que cet escalier n'était pas celui qu'il avait vu le jour de la projection. Celui-là devait mener à la cuisine, ou quelque chose dans le genre.

Plongé dans ses réflexions, il se rendit à peine compte qu'il arrivait en bas. La cheminée avec son manteau de marbre était là où elle devait être. Il se jura de ne plus jamais faire confiance à une mémoire aussi volage. Il redessina dans sa tête un plan du lieu et, les bras tendus pour s'éviter une surprise, il chercha à côté de la porte battante de la cuisine, ce qui devait être la porte de la chambre de Conchita, d'après ce qu'elle lui avait dit. Ses doigts glissèrent sur le bois. Imitant le chat qui avait disparu, il gratta avec ses ongles. Si Conchita n'était pas là, il pourrait toujours continuer son exploration. Il gratta une deuxième fois, et entendit au même moment des bruits vers l'entrée principale. Ses yeux perçurent l'éclat d'une ampoule qu'on allumait.

– Et merde ! se dit l'explorateur nocturne. Il ouvrit la porte et rentra dans la chambre.

– Non Ramón, il n'en est pas question, dit la voix de Conchita.

D'inintelligibles sons rauques lui répondirent. Les pas se rapprochaient de la chambre. D'un bond, l'avocat fut dans l'armoire, à côté de la coiffeuse. Les voix devinrent claires.

– Elle veut tout décider. On a pourtant autant de droits que n'importe qui. Qu'elle ou le colonel.

– Ecoute, il ne s'agit pas de se laisser faire, mais ils mènent les choses tout à fait comme il faut.

– Tu es trop lèche-cul, Ramón, tu as ça dans le sang, répliqua Conchita en ouvrant la porte de sa chambre.

L'armoire ne fermait pas bien. L'avocat se fit tout petit au fond, au milieu des robes garnies de volants, la tête coincée dans l'espace réduit entre la penderie et l'étagère couverte de boîtes à chaussures.

Par l'interstice de la porte, il aperçut l'Espagnol au visage dur qui pénétrait dans la chambre derrière Conchita. Le soir de la fête, il l'avait identifié comme un des membres de la bande. L'Espagnol hésita sur le seuil, comme s'il attendait qu'on l'invite.

– Je peux entrer ?

– Mon pauvre garçon, je ne sais pas si tu en es capable, peureux comme tu es.

De sa cachette, l'avocat vit comment le visage de l'homme se contractait, la haine ancrée dans le regard.

– Entre, imbécile, et ferme la porte ! s'exclama Conchita. Heureusement que je ne suis pas la veuve de tes malheurs, elle t'aurait mis à la porte de sa chambre à coups de pied.

Ramón entra et se laissa tomber sur le lit.

L'avocat fut sur le point de hurler. Ce n'était pas possible, il allait être le spectateur involontaire des ébats entre l'Espagnol et Conchita.

– Enlève tes chaussures. Tu es un vrai porc. Je ne sais pas pourquoi je te laisse entrer chez moi.

– Parce que tu aimes bien baiser avec moi, fit Ramón, prosaïque.

Executor, dans l'armoire, faillit éclater de rire.

– Qu'est-ce que tu peux être vulgaire ! insista Conchita.

Elle réapparut dans le champ visuel de l'avocat, beaucoup moins habillée. Elle portait un peignoir transparent en soie blanche. Executor sentit ses poils du dos se hérisser devant le balancement des fesses de sa vieille amie la secrétaire, clairement visibles à travers la soie.

– Si tu n'enlèves pas tes chaussures, Ramón, je te mets dehors.

– Excuse-moi, mais ça me plaît de garder mes chaussures, tu le sais bien, non ? dit l'Espagnol dont les sourcils épais se rejoignaient.

Il se leva pour lui céder la place sur le lit. Elle s'y laissa tomber dans un froissement électrique de tissu.

Et merde ! pensa Executor, les yeux rivés sur l'entrecuisse de la femme et sa touffe frisée aux reflets roussâtres. Le dos de l'Espagnol s'interposa entre le corps de la femme et le regard de l'avocat au fond de l'armoire.

Mon pauvre garçon, tu as trop porté d'espadrilles dans ta jeunesse. C'est pour ça que tu veux garder tes chaussures, ça te donne de la classe, tu te sens le prince de Barcelone. Je parie que tu n'as pas non plus envie de te déshabiller. Tu as peut-être peur que quelqu'un vienne ?

– Parce que tu as d'autres visiteurs ? interrogea Ramón en ouvrant sa braguette.

– Mais non, je n'ai que toi au monde ! Pousse-toi.

La silhouette de Ramón s'écarta du lit. Executor aperçut un morceau du corps de la femme. La taille encore serrée par la ceinture du peignoir, un sein qui débordait, la cuisse montrant une vieille cicatrice.

– Non, pas comme ça. Laisse-moi monter sur le lit ! implora Ramón.

Merde, merde, merde ! pensa l'avocat. Un débat idéologique, par-dessus le marché. Ils pourraient faire ça en cinq sec et comme tout un chacun.

La femme se mit debout. Même sans chaussures, elle mesurait une bonne tête de plus que l'Espagnol. Elle gardait au moins cinquante centimètres de distance.

– Ne bouge pas ! ordonna-t-elle.

– Qu'est-ce qu'il faut pas voir ! se dit l'avocat. Il opta pour l'attitude contemplative. La curiosité l'emporta vite sur la gêne.

Manterola contempla de nouveau le cadavre. Il relut le mot laissé par le suicidé et décida que l'affaire valait bien un petit bakchich au médecin légiste. Si c'était un suicide, il voulait bien être pendu.

– La balle a suivi une trajectoire de haut en bas.

– Oui. Peut-être qu'il était en train de sucer le pistolet.

– C'est ce que je me disais.

– Des écorchures aux lèvres, et même une blessure au palais faite avec l'arête de quelque chose.

– Le cran du revolver.

– Exactement.

– Je me disais aussi... dit Manterola en entamant son filet de bœuf.

Cela faisait un bon moment que le médecin légiste avait fini le sien et mangeait les morceaux de pain qui restaient sur la table.

Manterola lui jeta un regard sévère.

– Dites donc, docteur, laissez-en un peu pour la sauce.

– Excusez-moi, je pensais que vous ne mangiez pas de pain.

– Pas si c'est vous qui mangez tout.

Autour des deux personnages passaient des garçons endimanchés, faisant danser les plateaux au-dessus de leurs têtes "comme à Paris", évitant les clients, des marchands de billets de loterie, des mendiants, un vendeur de cigares, deux musiciens typiques avec leurs grosses guitares, une chanteuse et plusieurs enfants.

– Laissez-moi deviner docteur... On lui a mis le pistolet dans la bouche, il a essayé de se débattre et on a tiré.

– Exactement, confirma le médecin légiste qui était

vétérinaire de formation et avait pris goût aux cadavres pendant la Révolution.

Manterola s'essuya le front avec un mouchoir blanc qu'il tira de son gilet. L'après-midi, la ville était étouffante. La pluie se faisait attendre. Peut-être ne tomberait-elle jamais. En sortant du restaurant, il jeta un coup d'œil négligent à sa montre. Il restait encore deux heures jusqu'au bouclage. Dans l'espoir d'enrichir son reportage, il se dirigea à grands pas vers l'hôtel Regis. Il réfléchissait en marchant. Il était inquiet. Non seulement il avait besoin d'en savoir plus sur l'Anglais mort mais il lui fallait trouver les questions pertinentes qui permettraient au reportage de commencer à couler tout seul, avec sa part de remplissage, ses intertitres, sa ponctuation.

S'il n'avait pas marché les yeux au sol comme s'il cherchait des pièces de monnaie, il aurait vu son ami Thomas Wong traverser de l'autre côté de la rue entre deux Lincoln flambant neuves et un cabriolet rouillé tiré par un cheval. Thomas chantonnait une ballade irlandaise que lui avait apprise quelques années auparavant son ami Michael Gold, lequel n'était d'ailleurs pas irlandais mais juif new-yorkais arrivé au Mexique en 1917 pour fuir la grande guerre. Wong se rendait au quartier chinois pour y acheter deux rames de papier pour *Fraternidad*, un hebdomadaire que la Fédération Anarchiste comptait lancer cette semaine.

Il connaissait mal le quartier chinois de Mexico. Orphelin à cinq ans, il n'avait jamais appris la langue de ses ancêtres. Jusqu'à l'âge de dix ans, il avait été élevé par un métis dans le Nord et avait grandi avec des Mexicains et des gringos dans les champs pétrolifères de la région. Il n'avait jamais approché les grandes colonies chinoises de la côte occidentale du Mexique. Il connaissait de l'extérieur celle de Tampico. Il prononçait les r comme des l par esprit de contradiction, pour imposer sa différence. Il ne pouvait donc pas savoir que dans le quartier chinois de Mexico, une zone de six ou sept rues donnant sur l'impasse Dolores, la guerre

régnait entre les Tongs, les associations de commerçants, les traditionalistes du Tchi-Kong-Tong et les
triades.

Sans être Chinois, son ami le journaliste en savait plus
sur ces histoires étranges. Manterola était justement en
train de traverser le hall de l'hôtel Regis, et peut-être
aurait-il laissé de côté son histoire d'Anglais suicidé si
seulement il avait vu qu'au moment où Thomas prenait
la rue Dolores, six membres des forces spéciales, menés
par leur chef Mazcoro et le commandant Robelo,
s'avançaient à l'autre extrémité. Ils s'apprêtaient à
investir un casino clandestin.

Ni le journaliste ni le Chinois ne s'en rendirent
compte. Ce ne fut qu'en sortant de la papeterie
l'Orientale chargé de deux cartons attachés avec une
ficelle, que Thomas s'aperçut que quelque chose ne
tournait pas rond. Un homme qui sautait d'une fenêtre
retomba à un mètre de lui. Les badauds applaudirent le
vol plané et leurs applaudissements se confondirent
avec le bruit de la fusillade dans l'immeuble. Thomas
avait beau être étranger au quartier, il était fin connais-
seur de la violence et, en entendant les premiers coups
de feu, il s'adossa au mur, caché derrière ses cartons de
papier. De là il vit Mazcoro sortir manu militari de
l'immeuble un Chinois qui montrait un billet de cinquante pesos en criant en vain :

– Je payer, Monsieur, je payer !

Thomas, qui par principe ne se mêlait des histoires
des autres que lorsque ses idées ou lui-même se trouvaient mis en cause, pressa le pas pour s'éloigner,
chargé de ses cartons. C'est alors qu'il sentit quelqu'un
lui saisir fermement le bras.

– Sortez-moi d'ici, je vous en supplie ! Sortez-moi
d'ici !

Thomas regarda fixement la jeune femme et se remit à
marcher. Elle s'accrochait à son bras. Il fronça les sourcils quand il sentit ses narines s'emplir d'un pénétrant
parfum de violette.

Manterola, au même moment, fronçait lui aussi les sourcils.

– Alors vous êtes bien sûr que la porte était fermée de l'intérieur ?

– J'étais à côté du colonel quand ils ont été obligés de l'enfoncer ; tout de suite après, il nous a fait remarquer que la clé était restée dans la serrure à l'intérieur, expliqua l'employé de l'hôtel.

– Vous avez des doubles des clés ?

– Oui, Monsieur. Qu'est-ce que vous avez l'intention de faire ?

– Une expérience scientifique, répondit le journaliste en lui prenant le bras.

– Cette chambre-là si vous voulez. Le client doit avoir sa clé. Moi, j'ai le passe-partout.

Manterola frappa doucement à la porte vert pâle ornée de dorures. Un visage rose et joufflu, entouré d'un collier de barbe, sans moustache, apparut.

– *L'acqua non è calda. Mi parti degli ascingomani, sapone.*

Manterola adressa son plus beau sourire au personnage et le poussa doucement vers l'intérieur de la chambre.

– Vous avez votre clé, Monsieur ? demanda-t-il à grands renforts de gestes pour mieux se faire comprendre.

– *Desidera la mia chiave ?*

– Mettez votre clé de ce côté, dit-il à l'employé. Voilà, maintenant faites-la tourner. Vous voyez, l'autre ne tombe pas ; vous pouvez fermer de l'extérieur même si l'autre est à l'intérieur. C'est à cause de la longueur de la serrure.

– Comment vous en êtes-vous rendu compte ? demanda l'employé.

– Avant d'être journaliste j'étais serrurier... Au fait, comment s'appelait le capitaine ?

– Le colonel Gómez. Il était au bar en train de boire

avec des gringos quand la police est arrivée. Il les a rejoints.

– *La mia chiave, per favore.*

– Je vous remercie, dit le journaliste en s'inclinant légèrement devant l'Italien joufflu avant de sortir. Il pensait déjà à autre chose.

Dans la rue, la tête lui tournait à force de réfléchir ; il sentait comme une fumée flotter au-dessus de son crâne chauve. Pour dissimuler cette fumée inexistante aux regards inexistants, il alluma une cigarette et traversa l'avenue Juarez. Il tomba sur son ami Thomas, qui marchait difficilement, encombré de deux énormes paquets et d'une très belle Chinoise vêtue d'une tunique bleu ciel sur laquelle était brodé un dragon.

19. Partie de dominos avec l'archange Gabriel

Ils ont de plus en plus de mal à se concentrer sur les dominos, comme si les nouveaux développements de l'histoire assiégeaient leur table de marbre. Les dominos sont propices au bavardage vague et sans logique. On parle mais on ne dit rien. Il y a une règle de silence à ne pas violer : on joue avec les mots mais on ne permet pas que les mots prennent le dessus sur le jeu. Une partie de dominos sur laquelle planent trois assassinats, le sauvetage d'une jeune fille, le récit d'un coït bizarre et le bruit de la pluie dans la rue Madero, ne peut pas être réussie.

Ce qui n'empêche pas les joueurs de faire de leur mieux pour suivre le fil et ne pas devenir schizophrènes. Le barman note qu'ils ont l'air énervés, tendus. Il met ça sur le compte de la pluie, de la grève des loyers, de l'augmentation du chômage, du résultat des courses, d'une tenace épidémie de coryza.

– Nous en savons déjà trop sans avoir rien demandé. Pourquoi ne pas essayer d'en savoir plus ? lance le poète.

– C'est à vous cher ami !

Manterola qui s'était embusqué les deux premiers tours, pour voir venir, attaque avec ses quatre. Ce soir, Executor et lui font équipe. La tournure que prendront les parties ne laisse pas de doute : agressivité du Chinois et du poète contre astuce et sens de l'esquive de l'avocat et du journaliste.

Un jour ordinaire, ces derniers gagneraient trois parties sur cinq. Mais ce n'est pas un jour ordinaire et ils n'arrêtent pas de perdre.

– Je ne m'érige pas du tout en défenseur de la normalité – Bakounine m'en garde, comme dirait Thomas –,

74

mais je n'ai jamais vu des gens baiser comme ça : à un mètre l'un de l'autre, sous le regard d'un voyeur. Il est vrai que je suis plus souvent témoin de mes propres ébats que de ceux des autres.

– Peut-être que l'espingouin a les mains sales, et que ça la dégoûte, suggère le poète en contrant les quatre avec ses deux.

– Elle n'a pas fait allusion aux mains. C'est les chaussures qu'elle voulait qu'il enlève.

– Tout est pal'faitement clail', dit Thomas en souriant. Si tu n'enlèves pas tes chaussul'es, un mètl'e de distance, c'est vl'aiment le minimum.

– Et ils ne t'ont pas éclaboussé ? demande le poète qui tente de déconcentrer l'avocat.

Executor, même s'il en parle avec humour, a de toute évidence été ébranlé par l'aventure.

– Moralement, mon cher troubadour, moralement en tout cas.

Manterola hésite, mais continue à jouer ses quatre. C'est risqué : si Thomas ferme le jeu, il ne pourra plus se débarrasser du cinq-six et du double-cinq.

– Notl'e joul'naliste a une attitude suicidail'e aujoul'd'hui, remarque Thomas en fermant le jeu.

– Merde, je le savais, fait Manterola devant la débâcle.

Il essaie de s'excuser auprès d'Executor en lui servant un verre de rhum.

– Eh oui, on ne peut pas tirer le gros lot à tous les coups.

– Dans ce cas précis, on n'a rien tiré du tout, remarque l'avocat.

– Bon. En dehors de ce coït télégraphique, as-tu enrichi ta culture dans d'autres domaines ? interroge le poète, en se levant de sa chaise pour se dégourdir les jambes.

– Que dalle ! J'ai passé cinq heures enfermé dans cette putain d'armoire. Quand je ferme les yeux, il me semble encore qu'un cintre me surveille.

— Nous t'avons attendu longtemps, puis, à la surprise du barman, nous avons dû annuler la partie. Je crois que c'est la troisième fois en deux ans que cela nous arrive. Une fois quand Thomas a passé une semaine en prison, une autre quand je me suis fait renverser par une voiture, énumère Manterola pour souligner la fidélité de leur petit groupe.

Les dominos mélangés par Executor font un bruit monotone, assoupissant.

— Et qui était le mort qui a obligé notre ami le colonel Gómez à réaliser des tours de magie sur la porte ? demande le poète.

— Un ingénieur anglais qui travaillait pour une compagnie pétrolière, Aguila semble-t-il. Il était en voyage d'affaires.

Thomas redresse la tête. Aguila, il connaît. Ça fait partie de ses souvenirs. De même que la Division du Nord, l'armée de Pancho Villa, fait partie de ceux du poète, les haciendas porfiristes de ceux de l'avocat et les faits divers sanglants de ceux du journaliste.

— Un certain Blinkman. Je n'ai pas eu le temps d'en savoir plus. Dans le journal, je raconte l'histoire du faux suicide.

— Tu parles de la participation du colonel à cette mascarade ? Tu fais allusion à l'histoire de la clé ? demande Executor.

Les quatre joueurs piochent leurs dominos au centre de la table, chacun dans son style. Le poète les agglutine les uns aux autres puis, d'une pression à chaque extrémité, les soulève d'un seul bloc. L'avocat les saisit un par un et les range comme ils viennent. Manterola les met à l'horizontale et Thomas passe une bonne minute à disposer son jeu.

— Non, je n'en dis rien. En réalité, je me suis limité dans l'article à démolir la thèse du suicide. Je ne suis pas rentré dans les détails. J'ai pensé que cette histoire ne m'appartenait pas en propre. Que la primeur en revenait aux chevaliers de notre table ronde.

– Sauf que les chevaliers ont des chevaux...

– Et que nous, Thomas, nous sommes à pied, ajoute Executor.

– Le scribouilleur a raison, dit le poète en se grattant la moustache avec l'index. Cette histoire nous appartient par tous ses fils. A moi, le musicien assassiné...

– A moi le faux suicidé anglais, la veuve et le colonel défenestré...

– A moi le salon de la veuve, les relations de l'Espagnol avec Conchita, dit Executor...

– Moi, je n'ai pas gl'and-chose. Juste des comptes à l'égler avec le colonel Gómez, conclut Thomas.

– Et le sauvetage de la Chinoise ?

– Ça fel'ait vl'aiment tl'op de coïncidences, même poul' cette histoil'e. Ol'pheline a pl'ofité du chaos pl'ovoqué pal' la police dans la salle de jeux poul' s'échapper. L'éduite en esclavage poul' payer des dettes, elle en avait mal'e d'êtl'e maltl'aitée : une histoil'e plutôt banale.

– Tu es sûr qu'elle n'a rien à voir avec tout ça ? demande le journaliste en mettant le double-blanc sur l'entame du poète. Je ne sais plus à quoi m'en tenir. Tout converge. Tout semble lié. Tu crois au destin, toi ?

– Je devl'ais, je suis asiatique donc fataliste, n'est-ce pas ?

– Sérieusement, Thomas, tu crois au destin ? demande le journaliste.

Le jeu s'interrompt un instant, les quatre joueurs se regardent. Le Majestic est vide, cela fait une demi-heure que la porte battante est immobile. Ils sont, avec le barman, les propriétaires de cet endroit et de cette nuit. Ils sont aussi, sans le barman, les propriétaires des fragments d'une histoire dont le centre est la maison de la veuve Roldán.

– Non, je cl'ois au hasal'd. Et quand c'est tl'op, je cl'ois qu'il faut lui fail'e face.

– Moi, plus rien ne m'étonne, dit le poète. Je crois que

l'archange Gabriel veut nous impliquer dans quelque chose et envoie des signaux.

– Et pourquoi l'archange Gabriel ?

– Vu que je ne crois pas en Dieu, il faut bien que j'attribue les messages à quelqu'un.

– Il va pleuvoir toute la nuit, dit Executor. Ses mots sont le signal qui redéclenche la partie.

Les doigts soudain agiles d'Executor déplacent les dominos sur la table.

– C'est moi qui mélange. Sans fermeté, pas moyen de tenir la cadence dit l'avocat au journaliste qui pense à la Chinoise de Wong.

– Où est-ce que tu l'as fourrée, Thomas ?

– Chez moi. Dans ma modeste maison, comme disent les Chinois dans les romans.

– Il y a idylle sous roche, jeune et bel Asiatique ? demande le poète. Sans vouloir me mêler de ce qui ne me regarde pas...

– Je ne sais pas, illustl'e tl'oubadoul', poul' le moment nous pal'tageons chambl'e et petit déjeuner.

– Elle s'appelle ?

– Mal'ie López.

– Malie López ?

– Marie López, je suppose, dit Manterola.

– Parfait. Une autre énigme pour cette nuit, dit le poète en jouant le double-quatre et en gardant en réserve dans son jeu les derniers trois.

78

20. Balles et beignets

En sortant du café où ils avaient mangé des beignets, le poète s'arrêta un moment pour pisser tranquillement contre un lampadaire. Les quatre amis étaient sur le point de se quitter. Manterola était à quelques rues de chez lui, Executor projetait une de ses promenades nocturnes. Quant au poète et au Chinois, ils devaient marcher jusqu'à Tacubaya où Thomas prendrait le premier tramway pour San Angel.

– Dépêche-toi, tu exagèl'es ! cria le Chinois au poète.

Le poète aperçut les phares d'une voiture qui tournait le coin de la rue et rengaina son cher instrument, refermant les cinq boutons qu'un tailleur méticuleux avait cousus à sa braguette. La voiture passa à côté de lui et le laissa de nouveau dans l'obscurité. Plus loin, le journaliste offrait du feu à l'avocat pour son cigare. La voiture les dépassa de quelques mètres et freina.

Thomas réagit le premier.

– Attention ! cria-t-il en sortant son couteau.

Deux hommes descendirent en même temps par les portes arrière de la voiture. Le cri du Chinois avait alerté ses camarades et Executor, sans hésiter, jeta son cigare à moitié allumé et s'agenouilla, son automatique à la main.

Manterola, plus lent à réagir, ne plongea au sol qu'au moment où il entendit un coup de feu. Il sentit une brûlure à la jambe et se rendit compte qu'il était la cible des inconnus. De derrière son lampadaire, le poète tira avec son .45 à canon long. Le coup, dans la nuit silencieuse, résonna comme un coup de canon. La balle rebondit contre la carrosserie de la voiture et alla fracasser la mâchoire de l'un des assaillants masqués. Le sang de la blessure ne changea pas la couleur du mouchoir qui dissimulait son nez et sa bouche. Le deuxième homme masqué tira trois coups de suite sur Executor qui répondit à genoux, tandis qu'il se contorsionnait bizarrement pour se mettre à couvert derrière un bac à fleurs. Les balles faisaient sauter des éclats du mur de la banque, et il entendit le fracas caractéristique d'une porte vitrée qui volait en éclats. Une balle lui perfora net la paume de la main gauche, une autre arracha son chapeau.

Manterola, par terre, dégaina un Browning automatique calibre 25. Ses lunettes étaient cassées, mais il vida au jugé le chargeur de son revolver sur la voiture. Ce qui ne lui réussit pas si mal. L'homme masqué regarda du coin de l'œil son camarade gisant au sol dont la mâchoire émettait des sons très bizarres. Il sentait les balles pleuvoir de tous côtés. Il se mit à courir en tirant à l'aveuglette les deux dernières balles qui lui restaient, tuant un chien qui, depuis une terrasse, regardait la fusillade avec étonnement.

L'homme masqué courait comme un fou. Il s'arrêta au coin de la rue pour recharger son revolver et voir s'il n'était pas poursuivi. C'est alors que Thomas, qui l'avait suivi, lui enfonça son couteau dans la gorge. Le sang bouillonna à travers le mouchoir qui avait glissé.

Les lumières des immeubles alentour commencèrent à s'allumer petit à petit, augmentant progressivement l'éclairage de la rue. Le poète arriva jusqu'à la voiture et donna un grand coup de pied dans la tête de l'homme masqué au mouchoir ensanglanté. Celui-ci s'arrêta net de bouger. Un troisième homme était au volant, une balle du pistolet de Manterola dans la tête. Le poète tira la clé de contact pour arrêter le moteur. Le silence se fit. Le journaliste et l'avocat examinaient leurs blessures.

– Merde, j'ai quelque chose de cassé. Pourvu que je ne reste pas boiteux jusqu'à la fin de mes jours, dit le journaliste en utilisant sa ceinture pour se faire un garrot à la jambe.

– Moi, je vais devoir attendre un peu avant de pouvoir mélanger les dominos, constata l'avocat.

– Et le tien, Thomas ? cria le poète.

– Mol't, répondit le Chinois qui essuyait son couteau sur le pantalon du mort avant de le ranger.

– Celui-là a l'air de bouger encore, remarqua le poète en montrant le troisième qui gisait au pied de la portière.

Au coin de la rue, deux gendarmes à cheval firent leur apparition. Deux putes, amies d'Executor, se décidèrent à s'approcher.

– Vous, demanda Executor à un homme en chemise de nuit qui avait tout vu du deuxième étage, appelez une ambulance, si ça ne vous dérange pas.

Quelque minutes plus tard, on entendit les clochettes de l'ambulance. Un son qui rappela au poète la manière dont, à Zacatecas, on annonçait les corridas.

La rue était maintenant toute illuminée, ce qui lui donnait un petit air de fête.

21. Semaine perdue

Les jours qui suivirent furent un peu absurdes. Il ne se passa rien. Enfin, presque rien. On commanda au poète un slogan pour les matelas Soupless. *« Les matelas Soupless, un carrosse céleste ! »* : refusé ; *« Soupless fait faire des progrès même à votre femme ! »* : refusé ; *« Les matelas mexicains savent caresser le dos d'un Mexicain ! »* : accepté. Il empocha une bonne liasse de billets après avoir souffert plusieurs nuits dans sa chambre à essayer de trouver le slogan clé de la campagne, sans compter toutes les annexes : affiches, textes d'annonces, etc.

Le Chinois prit part à la grève de l'Abeille et ne rentra pas chez lui de toute la semaine.

Manterola fut hospitalisé dans une clinique privée et le journal lui paya généreusement son article sur leur aventure : « UN JOURNALISTE DE L'*EL DEMO-CRATA* BLESSÉ DANS UNE FUSILLADE ».

Il écrivit un seul autre article durant cette semaine, qu'il dicta à une sténo envoyée par le journal. Article servi sur un plateau par son ami Executor qui, malgré sa main bandée, s'était débrouillé pour se trouver mêlé à une réjouissante histoire de maison close.

Il n'y eut pas de partie de dominos et les personnages ne purent donc pas faire le point sur l'affaire de la fusillade.

Executor et Manterola en parlèrent un peu à la clinique où le journaliste soignait sa jambe. Il reçut aussi la visite du poète qui de son côté rencontra un jour le Chinois dans un tramway.

Bizarrement, aucun des trois agresseurs ne survécut et les quatre amis apprirent leur identité par la presse.

Mazcorro, chef des brigades spéciales, la leur confirma à chacun lors d'interrogatoires séparés. Il s'entretint avec Manterola à la clinique, avec Executor à la Croix-Rouge et convoqua le lendemain pour une entrevue dans son bureau le Chinois et le poète.

Sans s'être mis d'accord, les quatre amis donnèrent la même version des faits, et se gardèrent bien d'en dire plus. Ils répondirent par l'évasive à toutes les questions :

– Qui avait intérêt à vous assassiner ? Êtes-vous impliqués dans une affaire douteuse ? Avez-vous des ennemis personnels ?

Ils n'avaient pas eu besoin de se concerter : il s'agissait d'une affaire privée, entre eux et ceux qui avaient envoyé les trois types. Dans les déclarations, quelques détails furent également omis : par exemple, le coup de pied dans la tête de l'homme à la mâchoire fracassée, ou le fait que le poète ait été en train de pisser quand la fusillade avait commencé. Une affaire elle aussi privée.

Tacitement, les quatre amis décidèrent de remettre à plus tard leurs propres conclusions de leurs investigations. La vie continuait.

Ils ne suivirent donc pas la piste de la voiture (volée) des trois assaillants. Ils ne s'inquiétèrent pas de savoir quelles étaient les amitiés de Suarez (le mort au volant), ou celles de Tibon (le mort égorgé). Le troisième cadavre n'avait pas été identifié.

Des quatre entretiens avec Mazcorro, le plus intéressant fut sans doute celui du journaliste, même si ce fut aussi le plus bref : Manterola était sous tranquillisants. Il avait envie de fumer. Il apprit que le faux suicidé de l'hôtel Regis partageait sa chambre avec un compagnon qui avait disparu. Aguila exigeait une enquête car les deux hommes étaient arrivés à Mexico avec un million de pesos en actions au porteur, pour réaliser une importante transaction commerciale. Le journaliste était conscient qu'il lui aurait fallu noter le nom du compagnon de chambre de l'Anglais, et mettre son nez plus à fond dans cette affaire. Mais le manque de tabac l'inquiétait davantage et il oublia.

Ce fut une semaine perdue bien que, pour des raisons différentes, assez agitée pour Wong et Executor.

22. Le blues du travailleur

Cela n'avait rien de contradictoire en dépit des apparences. Le reniement de ses origines bourgeoises l'intéressait moins que le plaisir de l'éphémère. Un pays où une révolution, plutôt confuse, avait coûté un million de morts, avait aussi besoin de défenseurs pour ses belles de nuit.

Les belles en question étaient une troupe bigarrée de jupes voltigeantes, chapeaux à la mode, manteaux, châles râpés, mantilles espagnoles qui avaient connu des jours meilleurs. L'avocat prêtait ses services à toutes : depuis les filles aux joues fardées qui, quelques heures par jour, échangeaient leur corps contre la misère d'autrui jusqu'aux joyeuses danseuses de revue qui n'étaient pas pressées de tomber amoureuses d'un officier ou d'un commerçant prospère (si possible d'origine espagnole et sur la pente ascendante).

Redressant son chapeau d'une chiquenaude, l'avocat installait son bureau dans les bars, salons de thé, antichambres de bordels, arrière-boutiques, loges de théâtre. Il les recevait toutes avec sourire, compréhension et sérieux professionnel.

Fier de ses talents, l'avocat était en train de lire à haute voix la version que son ami le journaliste avait écrite de son intervention dans la dramatique histoire de Maria de la Luz Garcia.

« Elle a grandi, orpheline et solitaire, dans un logis misérable, confiée à la garde de l'une de ses tantes. Elle dépérissait, pauvre créature anodine, sans affection, sans joies, sans personne sur qui déverser le trésor de tendresse que sa mère disparue lui avait légué. Elle devait supporter en silence les raclées d'une harpie digne du crayon macabre de Toulouse-Lautrec. La vieille lui cédait une paillasse et un quignon de pain, pas par commisération envers l'orpheline, mais en pensant au jour où ce "tas de viande et d'os" qui occupait une place chez elle et mangeait ses miettes deviendrait une "chose productive".

» Un jour, la dame conduisit sa nièce chez Madame Yvonne, une femme dont la beauté avait subi les outrages du temps. Elle tenait, au cœur de l'aristocratique quartier de la Roma, une maison de plaisirs malsains. Maria de la Luz fut immolée lors d'une bacchanale donnée en l'honneur d'un richissime débauché. A partir de ce jour, contre sa volonté, sans espoir de fuite, comme hypnotisée, à quinze ans, elle fut vêtue de soie et livrée aux caprices de tous ceux qui pouvaient payer le tarif exigé par sa patronne. Vous avez dit prostitution ? Ne serait-ce pas plutôt infamie d'une société qui n'a pas permis à cette jeune fille de connaître ses droits, l'enfonçant dans l'abandon et la corruption ?

» Heureusement pour elle, elle fit, il y a peu, la connaissance de l'avocat A. Executor. Ce dernier, apprenant qu'elle se trouvait contre son gré dans cette maison close, se chargea, pistolet au poing, de la tirer des griffes de ses cerbères. Ces derniers, en toute impudence, confiants peut-être dans les appuis qu'ils comptent au dixième commissariat, accusèrent le maître du barreau de détournement et enlèvement de mineure. Mais ils ignoraient à qui ils avaient affaire. Maître Executor, un nom connu de nos lecteurs, exposa l'affaire devant le commissaire avec tant d'éloquence et de sincérité que celui-ci, non seulement n'enregistra pas la plainte, mais fit mettre en prison Madame Yvonne et un de ses amis, surnommé "la Vipère", qui lui servait de garde du corps.

» L'histoire serait incomplète si nous n'ajoutions pas que Maria de la Luz Garcia (un pseudonyme évidemment pour protéger l'innocente jeune fille) est à présent employée dans une entreprise commerciale bien connue dans la capitale. »

– Alors Maria, qu'est-ce que tu en penses ?

– Ils disent pas que t'as foutu le feu à la maison de Madame Yvonne.

– Un incendie anonyme, répondit Executor, en allumant un cigare de Veracruz et en se reservant un autre verre de mezcal.

La lumière filtrait par les persiennes et dessinait des taches blanches sur la peau de la jeune femme nue qui allait et venait autour du lit.

– Faut rien exagérer. Je voulais juste quitter cette taule et la vieille sorcière voulait pas. Je vais pas me priver de coucher avec qui je veux, dit la fille.

– Les journaux sont encore trop puritains, expliqua l'avocat. Il fallait bien que Manterola remplisse sa colonne. En plus, tu as devant toi un défenseur intransigeant de l'indépendance. Evidemment, entre la maison de Madame Yvonne et une "entreprise commerciale bien connue", il n'y a pas grande différence... Je préfère aller chez toi, ajouta Executor en essayant de faire bouger les doigts de sa main bandée.

– Ils disent rien non plus du magot de Madame Yvonne que t'as piqué derrière le tableau.

– Ça, c'est pour mes honoraires, ma fille, et les honoraires d'un avocat, comme ses services, sont protégés par le secret professionnel.

– Secret professionnel, d'accord, mais faudrait voir à partager avec la cliente, tu crois pas ?

– Naturellement, Mademoiselle, répondit Executor avec un sourire désabusé.

Le personnage qu'il s'est inventé, qui s'appelle comme lui, qui met ses costumes, son chapeau et affiche sa blessure, ne le convainc pas complètement. Executor est d'accord avec Manterola : on vit le jour une autobiographie écrite la nuit. C'est pour cela qu'aujourd'hui il sent que quelqu'un s'est trompé de livre, même si la lumière filtrée par le store à demi fermé dessine de sublimes images sur la peau de la jeune femme nue.

Manterola allait fêter ses trente-neuf ans dans une chambre de la clinique de l'Indienne Eclairée, près du dépôt des tramways. Il partageait sa chambre avec un maçon à l'agonie. Contre l'avis des docteurs, il avait la sensation que sa jambe ne se rétablirait jamais complètement, que le fémur n'allait pas se ressouder comme il fallait. Manterola allait fêter ses trente-neuf ans et la tristesse inhérente aux anniversaires après trente-cinq ans, aux heures après l'accouchement, aux victoires inutiles et aux grandes défaites, l'envahissait.

La tristesse des anniversaires aidant, les journalistes de faits divers avaient tendance à devenir solennels, à passer en revue leur vie comme si elle était un tiroir de factures impayées, d'objectifs non atteints, d'illusions à moitié mortes, d'amours gaspillés.

Dans le chrome d'un tube bien poli, il voyait le reflet de son crâne chauve. Pour y échapper, il enleva ses lunettes. Il pensa aux cigarettes cachées sous l'oreiller et au manuscrit caché sous un autre oreiller, chez lui dans sa chambre. Il cessa de penser à son crâne chauve mais la tristesse ne le quittait pas pour autant. La tristesse est gluante. Elle se nourrit d'autocompassion et de mélancolie bêtasse. Manterola laissa couler deux larmes, le regard fixé sur le mur blanc.

– Vous permettez ? dit la voix de la femme qui entra dans la chambre sans attendre.

Manterola essuya les deux larmes sans se presser. Il l'avait déjà vue deux fois et il avait eu sa photo entre les mains un bon moment. Elle était habillée en noir comme les fois d'avant, avec sur la tête une ample capeline, qui donnait de l'éclat à la pâleur de son visage. Autour du cou, un collier avec une émeraude au centre. Une jupe serrée, longue jusqu'aux chevilles, un chemisier blanc et un châle brodé de noir.

– Est-ce que je peux mettre les fleurs ici ? demanda Margarita Herrera, veuve Roldán.

Sans attendre la réponse, elle prit de l'eau dans une cuvette ébréchée et la versa dans un vase où elle disposa une demi-douzaine de magnolias tristes, ouverts et parfumés. La jeune femme tourna le dos au journaliste et laissa défiler les secondes en arrangeant les fleurs. Il l'observa. Elle se laissa observer.

– Quel est l'objet de votre visite, Madame ? demanda Manterola en sortant une cigarette de sous l'oreiller.

C'était le moment de la fumer.

– Je vous avais dit que nous nous reverrions, répondit la jeune femme en se tournant vers lui.

Elle chercha où s'asseoir et opta pour le lit, aux pieds du journaliste.

– A gauche, s'il vous plaît. Ma jambe droite ne va pas encore très bien.

La femme changea de côté, s'assit et montra le lit de l'agonisant.

– Il est mourant. Cela fait plusieurs jours qu'il est dans le coma. Depuis qu'on m'a amené ici. Il paraît que c'est un maçon qui est tombé d'un quatrième étage. Il ne sortira plus de son sommeil.

Durant quelques secondes, le journaliste et la jeune femme se regardèrent fixement. Lui essayait de découvrir derrière elle une autre femme, perdue depuis longtemps. Elle cherchait une faille par laquelle se glisser dans l'âme de Manterola. Ou peut-être, plus prosaïquement, un angle pour entamer la conversation.

– Je sais que cela doit vous sembler absurde, cher Monsieur, mais je voulais vous dire que je ne suis pour rien dans votre mésaventure à tous les quatre, commença la jeune femme, en choisissant d'y aller franco, tandis qu'elle laissait glisser son châle.

– Et pourquoi cet aveu ? demanda le journaliste,

décidé à ne rien céder sans recevoir quelque chose en échange.

– Je ne sais pas ce que vous savez sur moi et mes amis, mais je vous assure que nous ne sommes pour rien dans cette agression.

– Vous en êtes sûre ?

– Absolument. Je suis venue ici pour vous le dire et pour balayer vos doutes. Evidemment, nous avons eu quelques différends. Votre présence n'a pas toujours été opportune. Votre curiosité à mon égard a éveillé des soupçons chez mes amis. Mais de là à essayer de vous assassiner, il y a un grand pas.

Manterola se redressa sur le lit, prit la main de la jeune femme et sans détourner le regard de l'éclat violet de ses yeux, la lui baisa.

– Nous aurions dû nous rencontrer il y a quelques années, cher Monsieur.

Son regard erra dans la chambre avant de se fixer sur les fleurs dont la senteur commençait à envahir l'atmosphère.

– Il n'y a là rien d'irréparable, Margarita... vous permettez que je vous appelle ainsi ? demanda Manterola.

– C'est comme ça que mes amis m'appellent.

Manterola ne bougeait pas malgré les tiraillements douloureux de sa jambe. Il n'avait pas lâché sa main. La jeune femme se pencha vers lui pour relâcher la tension.

– Vous savez ce qu'il y a de plus ingrat dans mon métier de journaliste ?

Sans attendre la réponse, il continua :

– La quête de la vérité fait oublier tout le reste.

– La vérité est toujours difficile à connaître...

– La vérité ou ce qui lui ressemble, ce que l'on croit avoir vu. Je suis prêt à écouter votre version.

– Vous m'amenez sur un terrain dangereux, Monsieur le journaliste.

– Cela fait un moment que vos yeux m'y ont conduit, Margarita.

Ce dialogue aux accents de feuilleton populaire commençait à amuser le journaliste qui avait suffisamment lu Dumas fils, Montépin et si on le poussait un peu, Victor Hugo. Toute une gamme de phrases et d'expressions lui revenaient en mémoire.

– Dans votre article, vous ne dites pas qui a tué les trois assaillants. Vous ? demanda la jeune femme en retirant sa main et en se reculant un peu.

– Désolé de vous décevoir, si j'en ai tué un, c'est par accident. Mes lunettes étaient tombées par terre au début de la fusillade et j'ai tiré au jugé sur ce qui avait l'air le plus grand : la voiture. Au fait, vous-même possédez une Exeter, n'est-ce pas ?

La jeune femme le fixa et après avoir constaté que l'agonisant n'avait pas bougé pendant toute leur conversation, les yeux fermés et le visage toujours contre le mur, elle laissa tomber son châle sur le lit. Ce geste, apparemment anodin, fit deviner à Manterola, grâce à son instinct développé pendant des années de travail dans des situations exceptionnelles, que la jeune femme allait se déshabiller sous ses yeux.

Alors que le journaliste en arrivait à cette conclusion, le Chinois, à des kilomètres de là, mangeait des œufs au chorizo dans le village de Contreras situé au milieu de terrains vagues et de champs en friche. Un plat que lui avait spécialement préparé Marie Lopez Chang avant qu'il parte travailler. Le Chinois habitait le rez-de-chaussée d'une maison misérable. Deux pièces, WC et salle de bains dans la cour commune. Dans une des pièces il avait mis le lit, les livres, des photos, des souvenirs, une petite table et une chaise, des cartes aux murs, des journaux récents ou plus anciens. Dans l'autre, ses vêtements étaient accrochés au manche d'un vieux balai. Il y avait une table un peu plus grande et la cuisinière.

Entre lui et Marie s'était créée une certaine intimité. Ils partageaient le même lit mais ils n'avaient pas réussi à faire tomber leurs murs de silence à tous les deux.

Thomas, en peu de mots, lui avait expliqué les quelques règles du jeu : ne pas interrompre les réunions hebdomadaires du groupe anarchiste qui s'entassait dans les deux pièces, occupant les trois chaises, la table, le lit, finissant ses maigres réserves de café et emplissant tout de fumée. Ne pas trop se montrer dans le quartier pour éviter que les "propriétaires" de la fille ne la retrouvent. Ne pas se sentir tenue à quoi que ce soit vis-à-vis de lui.

Marie, qui aimait le silence autant que Thomas, avait écouté les trois recommandations et suggéré d'utiliser un coin de la chambre pour fabriquer des essences qu'elle pourrait ensuite vendre à des parfumeries, contribuant ainsi aux dépenses de la maison. Jusque-là, tout allait bien. Le problème était le lit qu'ils devaient partager pendant quatre heures la nuit. Thomas faisait les deux-huit. Ils faisaient lit commun de 3 ou 4 heures du matin à 7 heures, quand Marie se levait.

Ils ne manquaient pas d'imagination, et sans s'être concertés dormaient tête-bêche. Mais le problème était d'ordre pratique. Un pied n'était pas moins érotique qu'un visage et Thomas rêvait de mordre les fins doigts de pied de sa compagne de lit. Ce qui perturbait grandement son sommeil.

Tandis que le journaliste attendait le déshabillage de la veuve et que Thomas pensait amoureusement aux doigts de pieds de Marie, dans le quartier de Tacubaya le poète était assis sur son lit et écoutait, en pleine extase, les explications de Céleste, l'hypnotiseuse qui fréquentait la maison de la veuve Roldán.

– Une forze intérieure. Dévéloppée, vous voyez ?... Vous croyez au magnétisme ? Z'est zientifique, dit la femme.

Un vrai poème, pensait le poète : dans les trente ans, rousse, louchant un peu, bagarreuse, la poitrine débordante (le sein droit plus gros que le gauche ? Ou est-ce un problème de perspective ?), une paire de jambes superbes, à en juger par la jambe droite, découverte sur un bas à moitié filé, dont le poète ne pouvait détacher son regard. Couché sur les œuvres complètes de Voltaire, il fumait et suivait avec enthousiasme les explications de la femme.

– Abzolument zientifique. Des zondes électriques de mon esprit vers le vôtre. Lesquelles zont les plus fortes, voilà la question.

La femme avait débarqué sans prévenir, souriante, traînant son châle sur les chaises pleines de poussière, de papiers et de verres sales, elle l'avait finalement laissé négligemment sur une cuvette pleine de tequila où le poète s'était désinfecté, deux jours avant, une blessure à la jambe occasionnée par les éclats de verre d'une vitrine cassée pendant la fusillade.

Elle s'était présentée comme Madame Zuarez et sans plus attendre, après avoir vérifié que son interlocuteur était bien le poète Fermin Valenzia, avait commencé à déverser son délire.

– Et ce n'est là qu'un azpect des chozes. Il y a d'autres forzes que nous ne pouvons même pas entrevoir. Vous croyez en Dieu ?

Le poète fit non de la tête.

– Mais vous croyez dans les forzes de la nature ?

Le poète nia de nouveau, sérieux comme un pape, envoyant la fumée vers le plafond de sa chambre.

– Vous croyez bien zûr en la zienze, la connaizanze zientifique.

Le poète nia de nouveau, et se permit un regard équivoque.

– Vous croyez en quelque chose ? Mais bien zûr, je dis des bêtizes !

– Votre bas est légèrement filé, Mademoiselle, fit le poète en parcourant doucement avec l'index la déchirure sur toute sa longueur.

Son imagination lui dit que la jambe vibrait à ce contact et il commençait à penser qu'après tout, le magnétisme était une discipline qui méritait qu'on s'y intéressât.

– Hi, Hi ! fit la femme en s'éloignant un peu du doigt baladeur. De sa main droite, elle écarta une mèche rousse qui avait coquettement glissé sur son visage.

Le journaliste jeta un regard prudent vers le maçon moribond et constata que l'homme était en route pour l'au-delà, les yeux tournés vers le mur (des yeux sans lumière, pensa-t-il, qui regardaient ailleurs). Tranquillisé, il se concentra de nouveau sur la veuve qui déboutonnait machinalement son chemisier, le sourire aussi épanoui que les fleurs dans le vase. Un très beau sourire avec un arrière-goût de cruauté, pensa le journaliste, saisi, même dans ces circonstances, par le démon de la définition.

– Thomas, nous pourrions dormir ensemble, sans avoir à se cacher l'un de l'autre dans le même lit... S'il y avait deux lits dans cette chambre, je te dirais la même chose, osa Marie en fixant le Chinois qui mâchait lentement ses œufs au chorizo.
– Regardez-moi fixement dans les zyeux ! ordonna Céleste au poète. Intenzément, cherchez-y un lac, une mer bleue !
Les yeux de la veuve étaient violets et sous son chemisier blanc, sa peau était plus blanche encore.
– Tu es sûl'e ?
– Un ozéan calme, paisible, rien que le doux va-et-vient des vagues.
– Votre voisin ne réagit pas ? interrogea la veuve, aussi froide que prudente.
– Rien que deux mouettes planant dans l'air, suggèra l'hypnotiseuse.
– Nous devl'ons peut-êtl'e chel'cher un autl'e lit.
– Vous sentez la douzeur, mais zaussi un pouvoir qui vous pénètre...
– Cela fait six heures qu'il regarde le mur sans bouger. On m'a dit qu'il était dans un coma très profond, qu'il n'en avait plus que pour quelques heures...

– Deux lits ?

– Vous ne vous zentez pas fatigué ?

– Non, un seul, un peu plus gl'and.

– Et votre jambe ? demanda la veuve en laissant glisser par terre la jupe noire, dévoilant deux longues jambes gainées de soie fumée, semblables aux images des revues pornographiques que des vapeurs amenaient de temps en temps de Hambourg au Mexique.

– Vous ne vous zentez pas fatigué ? Vous vous zentez très fatigué...

– A propos de jambes... dit le journaliste, qui ne perdait pas une occasion de faire de sa vie un bon article, les vôtres sont de toute beauté, Margarita.

– Plongez dans mes zyeux.

– De quel côté met-on la tête du lit, du tien ou du mien ? interrogea Marie en laissant échapper une larme.

Thomas dut abandonner ses œufs au chorizo et allonger sa main sur la table. Les deux mains ensemble n'étaient pas très jaunes, personne de la génération suivante ne prononcerait les "r" comme des "l" et, climat oblige, la couleur de la peau serait plus foncée. Mais ils auraient pu aussi bien vivre à Sidney, en Australie, ou à Vienne. Ou en Chine. On parlait d'une révolution en Chine... Il faudrait qu'ils apprennent le chinois... Mais quel chinois ? Le cantonnais ? Le mandarin ?

– Nous pourrions peut-être changer de vêtements ? insinua le poète, brisant l'enchantement de la mer dans les yeux de la rousse.

– Mettez votre jambe blessée un peu à gauche, suggèra Margarita en montant sur le lit, la capeline toujours sur la tête.

Le lendemain, le poète avoua qu'il avait été sur le point de s'endormir, en dépit du zozotement de l'hypnotiseuse, apte à déconcentrer n'importe qui. Le journaliste garda pour lui le fait que son regard s'était promené des yeux violets de la veuve jusqu'à la petite culotte blanche en soie qui, à sa surprise, était fendue. C'est la première fois qu'il avait été violé par une femme à braguette. Thomas ne raconta rien. Il n'y avait rien à raconter.

Mais le plus extraordinaire de ces histoires croisées fut qu'une demi-heure plus tard, deux brancardiers entrèrent dans la chambre du journaliste pour constater la mort du maçon. Ils l'emportèrent, descendirent deux étages par l'escalier. Arrivés au sous-sol, ils déposèrent le corps sur une planche. Là, le maçon se mit debout, sortit de sa poche une pièce de dix pesos toute neuve et la leur donna. Il tira ensuite sur son pantalon pour essayer de camoufler son érection.

24. Thomas rencontre la police montée ; un colonel lui rappelle une vieille chanson

Un nuage de vapeur montait des pavés sur lesquels les deux chevaux étaient en train de pisser. Deux gendarmes avaient dégainé leur sabre et jouaient avec.

Thomas passa entre les chevaux pour atteindre les portes de l'usine. Des grévistes inquiets faisaient face à la police.

Une banderole exigeait le licenciement de deux contremaîtres : « Pierre n'a jamais lu un livre ! Rodriguez est un satyre dégoûtant qui se croit beau ! »

Le Chinois sourit. L'analphabétisme et le donjuanisme ne lui semblaient pas des motifs suffisants pour exiger le licenciement de deux contremaîtres et paralyser une usine de cinq cents ouvriers. Derrière ces mises en cause personnelles affleurait la lutte féroce opposant les ouvriers au patron, un Français appelé Donadieu, qui voulait imposer la dictature des petits chefs dans l'entreprise, foulant aux pieds les contrats de travail. L'un des deux contremaîtres visés interdisait d'introduire des journaux dans l'usine (y compris le très réactionnaire *Excelsior*). L'autre harcelait sexuellement les ouvrières. Deux étincelles qui justifiaient l'ampleur de l'incendie.

– Qu'est-ce qui se passe, camal'ades ? demanda le Chinois au piquet de grève. Il était formé d'une quarantaine de travailleurs de l'Abeille, renforcés par une quinzaine d'ouvriers travaillant le soir dans d'autres usines.

– Ils veulent qu'on leur ouvre les portes, Thomas, répondit Mendoza.

La grève de l'Abeille était la première du genre à Mexico. Les grévistes ne s'étaient pas contentés de

97

cesser le travail mais occupaient les locaux, interdisant l'accès au personnel administratif et aux jaunes. Ce qui expliquait la présence de la police montée, de deux paniers à salade et du colonel dans sa voiture en train de discuter avec le gérant. Pour leur part, les "gardes rouges" du piquet de grève inauguraient une forme de lutte appelée à un bel avenir.

– Qui, ils ?

– Le colonel Gómez. Il dit que la fermeture des portes est illégale. Mais c'est un piège. Donadieu a rassemblé des jaunes dans la maison de l'un des employés qui habite à deux rues d'ici. Ils sont chez lui depuis hier, ils attendent.

Thomas observa attentivement le militaire. Pendant ces dernières semaines son nom avait circulé à leur table de jeu. Celui qu'il avait connu trois ans auparavant à Tampico n'avait pas beaucoup changé : petit, brun, chaussé de bottes, serré dans des culottes de cheval et une vareuse impeccable, la bouche presque sans lèvres, le cheveu raide sous le képi, les mains petites, presque délicates, jouant avec la cravache.

– On va les pl'endl'e à leul' pl'opl'e jeu. Va lui dil'e qu'on va ouvl'il les pol'tes. Moi, j'il'ai avec les camal'ades jusqu'à la maison où se tl'ouvent les jaunes. On les coincel'a là-bas au lieu d'ici.

– C'est tout bon. Je te donne dix minutes, Thomas. La maison est dans l'impasse face au magasin de Satanas. Une grande maison avec une porte rouge. Zacarias, le comptable, y habite.

Thomas quitta Mendoza et s'approcha du groupe d'ouvriers qui gardaient l'entrée.

– L'endez-vous dans cinq minutes au magasin de Satanas poul' tous ceux qui sont al'més.

En s'éloignant, il regarda le colonel. Leurs yeux se croisèrent. Il se souvint alors d'une vieille chanson qu'on fredonnait à Tampico :

« Cette fois, Gómez,
Ça va être ta fête
Le fric que le patron t'a donné
On te le fera cracher. »

Il fit un sourire au militaire qui descendait de la voiture en continuant à jouer de sa cravache.

25. Belles histoires du passé :
Thomas Wong à Tampico

Il revoit la femme vêtue de tulle rose, une capeline sur la tête. Jouant avec le ressac, elle plonge dans le sable ses doigts de pieds aux ongles vernis de rouge que la mer délave. Il pense à l'étoffe qui épouse les mouvements de la femme ; à la chanson qu'elle fredonne tandis qu'elle laisse glisser sur ses épaules les bretelles de sa robe, découvrant ses seins. Il se souvient aussi des palmiers à la tombée du jour, du soleil qui se couche derrière les tours de la raffinerie de la Huasteca Petroleum Company. Il associe ces souvenirs à une chanson qui est à la mode à cette époque et qu'il a entendue pour la première fois dans la bouche d'un ivrogne :

« Tampico joli port tropical
Gloire de notre sol national
Partout où j'irai
De toi me souviendrai. »

Il s'en souvient. Il se dit que la mémoire est un jeu idiot inventé par des dieux qui n'ont rien de mieux à faire. La femme s'appelle Greta. C'est du moins ce qu'elle prétend. Elle a une capeline blanche dont elle a ôté un ruban de tulle, abîmé, dit-elle, par la chaleur. Lui n'a rien à reprocher à la chaleur. Il l'aime moite, quand le soleil fait suer la peau, la dessèche, la blesse. Elle s'est tuée avec de l'arsenic. Elle a distillé soigneusement le contenu de dix papiers tue-mouches. Rigoureuse et précise, en bonne Allemande. Lui ne se suiciderait jamais. Il ne lui reste à présent que le souvenir de la

100

femme sur la plage, à la tombée du jour, mouillant ses pieds dans la mer et faisant glisser le haut de sa robe de tulle rose pour laisser le dernier rayon de soleil caresser ses énormes seins. La petite rengaine nationaliste à la gloire de Tampico colle à tous ses souvenirs.

26. Les personnages jouent aux dominos
sur une scène inhabituelle
et ont du mal à se définir
par rapport à la Révolution mexicaine

— Trois types nous tombent dessus à coups de revolver ; la veuve prétend qu'elle n'y est pour rien ; le joueur de trombone et son frère sont refroidis ; on retrouve le cadavre d'un Anglais qui ne s'est vraisemblablement pas suicidé. Tu y comprends quelque chose ?

Le poète pose sa question en aidant le journaliste à se redresser sur le lit.

— Non, je n'y comprends rien. Chez moi, c'est d'ailleurs habituel. Je ne suis pas le seul. Dis-moi qui comprend quelque chose dans ce pays ? Qui sait ce qui se passe dans ce merveilleux pays ? Pour ce qui est de faire semblant alors qu'on vit dans le brouillard, ça oui on est champions !

— Moi non plus, je n'y comprends pas grand-chose mais je me sens obligé de souscrire à ta remarquable observation, répond Executor en jetant les fleurs à la poubelle pour se servir du vase comme cendrier.

Thomas est assis sur le lit qu'occupait le maçon défunt. Il contemple d'un air rêveur la circulation des dernières heures de la nuit en grattant sa moustache naissante.

— Tu vas te laisser pousser la moustache, Thomas ? demande le journaliste.

Le Chinois acquiesce d'un bref sourire.

— Je croyais que chez les Chinois, la moustache ne poussait pas, remarque le poète en installant la petite table de nuit entre les deux lits.

– Il n'est pas tl'op tôt pour que tu te l'endes finalement compte que je suis un Chinois apocl'yphe qui a lu
Cel'vantes, Tl'otsky, Blasco Ibañez et Balzac. Si j'étais
toi, je me demandel'ais sél'ieusement si ton camal'ade
de jeu le joul'naliste ne sel'ait pas un espion d'Alphonse
XIII.

– Je veux bien croire n'importe quoi, mais pas ça !
rétorque le poète.

– Ah, quel pays ! s'exclame l'avocat.

– Allons, ne mettons pas tout sur le dos de ce pays. Ce
n'est pas sa faute s'il ne s'est pas encore remis de tous
ses coups de pétards.

– Ce n'est pas de l'excès mais du manque de pétards
dont il s'agit, intervient le poète. Voilà ce qui se passe
quand on fait les révolutions à moitié. C'est comme des
arbres sans feuilles. Le pays est perdant, nous sommes
tous perdants. Quant à l'espoir... conclut-il de façon
sibylline.

– Si vous voulez parler de la Révolution, ne comptez
pas sur moi. Je crois que je suis devenu trop cynique, dit
Executor en sortant un étui de la poche de son imperméable anglais, acheté 40 pesos dans un magasin du
centre – 40 pesos gagnés aux dés dans un bouge quel-
conque. Il renverse les dominos qui s'amoncellent sur la
table trop petite.

Thomas se lève et va décrocher du mur une reproduc-
tion de Dürer. Il pose le tableau sur la table. Les dominos glissent mieux sur le verre, patinant entre les
visages des apôtres et les miettes de la Sainte Cène.

– La victoire est allée aux plus coriaces, à ceux qui
avaient le cuir endurci, reprend le journaliste qui n'a pas
l'intention de laisser le poète faire seul son bilan de la
Révolution. Le général Obregón a gagné parce que,
exceptés les mois de folie où il a commandé l'armée
révolutionnaire et a su remettre à leur place les commerçants, les curés et les petits bourgeois, il a toujours fait
preuve d'opportunisme.

– N'importe qui dans sa situation aurait fait la même

103

chose. On a perdu la Révolution avant de l'avoir faite. On l'a perdue quand les généraux, les grands comme les petits, se sont aperçus qu'il était plus avantageux d'épouser les filles de famille de l'ancien régime porfiriste que de les violer.

– Je suis désolé, mais je ne partage pas ton avis, intervient Executor en sortant ses cigares de l'autre poche de son imperméable.

Il en offre à ses camarades. Seul le journaliste en prend un.

– Les officiers d'Obregón préfèrent les putes. Ce qui d'ailleurs traduit un progrès significatif au plan moral. C'est un acquis de la Révolution. Ce qui les intéresse chez les porfiristes, ce ne sont pas leurs bonnes manières mais leur capacité à négocier, à transformer le pouvoir en argent. C'est ça qu'ils apprennent auprès d'eux.

– Vous pensez que la Révolution appartient désormais aux généraux ? interroge le poète en posant sur les douze apôtres de Dürer le double-six. Moi, je crois plutôt qu'elle appartient aux diplômés d'université. Ces choses qui grouillent sous les pierres. Ils sont aimables, un peu érudits, pas trop quand même. Ils ont tous leur petite anecdote révolutionnaire à raconter, au cas où. Ils diront toujours qu'ils ont été secrétaires de tel général, qu'ils ont rédigé tel plan, tel accord, tel fragment de la Constitution ; qu'ils se sont occupés de logistique militaire, qu'ils ont écrit tels articles, dirigé tels journaux...

– Aïe ! fait le journaliste.

– Comment ça, aïe !? s'interrompt le poète. C'est ta blessure qui te fait mal ?

– Ma blessure, tu parles ! Les dominos que tu m'as servis, oui !

– Je ne suis pas mieux loti, remarque Thomas.

– Nous sommes démasqués ! dit Executor en riant. Poète, poète, tu ne devrais pas dire du mal des diplômés d'université alors que tu en as un à ta gauche.

Le poète réfléchit. Il a encore deux six. Ce qui veut

dire qu'Executor en a quatre. Il est à moitié fichu.

– Il va de soi, maître, que tu n'étais pas visé par mes propos.

– Il va de soi que si je bloque ton jeu maintenant, tu ne dois pas te sentir visé...

– Le jeu est le jeu.

Dehors, la pluie tombe. Le clapotis de l'eau contre les carreaux de la fenêtre amortit la rumeur métallique du dépôt de la compagnie des tramways.

– Je crois que mon problème c'est de n'avoir jamais cru à rien, reprend le journaliste. J'aimais Ricardo Florez Magon, mais il était tout le temps en exil. J'ai suivi de près ceux de la Convention. Ils m'inspiraient de la sympathie, mais on ne savait jamais où les trouver et ils fusillaient à tour de bras, de sorte qu'on n'avait ni le temps ni l'envie de les approcher. C'est peut-être à cause de mon métier, ce putain de métier qui te demande d'entrer dans les détails, dans les petites histoires. Observer c'est regarder sans s'engager vraiment. J'avais de la sympathie pour certains. J'aimais leur façon d'entrer et de sortir de la Révolution sans se salir. Le colonel Mugica en 1917 et même Delahuerta lorsqu'il a été président provisoire, Lucio Blanco en 1915, Ramirez Garrido du temps où il était chef de la police. Merde, je n'aurais jamais cru sympathiser avec un chef de la police ! Mais Ramirez Garrido était génial. Il a obligé les flics à se syndiquer, il a protégé les prostituées et organisé des soupes populaires pour les délinquants.

– Et il est où maintenant, Ramirez Garrido ? demande le poète. Il se rend compte que, l'avocat jouant ses six, il va être obligé de lâcher l'un des siens.

– Je crois qu'il veut être gouverneur du Tabasco, ou quelque chose comme ça, répond Manterola qui non seulement a un mauvais jeu, mais s'est jeté bille en tête dans la difficile tâche de tirer au clair ses rapports avec la Révolution mexicaine.

Last but not the least, il vient de réaliser qu'il est tombé amoureux.

Le Chinois passe sur les cinq. Executor perd la possibilité de faire le forcing avec les six. Il opte pour les quatre, au grand soulagement du poète.

– Moi, mon cœur penche toujours vers Pancho Villa, dit le poète en jouant le quatre-deux. Chaque fois que la Division du Nord chargeait, la face du monde changeait. Personne ne m'enlèvera cela de la tête. Nous étions les prédateurs du vieux monde. Nous étions la colère. Que disait-on d'Attila ? Qu'il était le fléau de Dieu, non ? Je faisais de la poésie à cheval, et mes camarades étaient des paysans analphabètes, des photographes ambulants, des voleurs de chevaux se refaisant une conduite. Vous comprenez ? On avait en face l'artillerie, les mitrailleuses, les soldats à boutons dorés, et ils tombaient comme des soldats de plomb.

– Une révolution se fait avec des idées et de la violence. De la violence il y en a eu. Des idées, pas beaucoup. C'est pour ça que je suis devenu cynique. Personne n'avait ma rage, mais je ne savais pas comment la transformer en autre chose. Peut-être que je voulais que tout reste pareil mais que les gens changent.

– Si c'est ce que tu voulais, tu as été servi. Nous avons un porfirisme modernisé, beau parleur, et tout un tas de tombes à visiter les dimanches dans les cimetières, reprend le journaliste. Ou peut-être je me trompe et les portes du changement se sont ouvertes. Peut-être les années de fusillade étaient-elles destinées à ouvrir la petite porte du changement. On a distribué les terres, non ? Nous avons une constitution. Le clergé a perdu de ses privilèges. Les paysans ont été libérés des dettes qui les enchaînaient à l'hacienda.

– Ne désespél'ez pas, fl'èl'es. Cette l'évolution a donné ce qu'elle avait à donner. Maintenant vient le toul' de la deuxième, celle des tl'availleul's. La vl'aie l'évolution.

– J'aimerais bien y croire, Thomas, dit Executor qui

106

ne peut plus jouer ses six et perd le contrôle du jeu. Mais la foi il faut la nourrir et moi, je mendie les idées des autres. Je suis un parasite. Les idées, je les emprunte.

– Si Pancho Villa reprenait les armes, j'aurais peut-être envie de le suivre.

– Je me dis qu'on ne peut pas être un observateur toute sa vie. Ou peut-être que si. Mais dans ce cas, il faudrait être un observateur actif, pas passif. Il se peut que raconter ce qui se passe serve à quelque chose, ajoute le journaliste qui joue les trois, fait passer tout le monde et joue coup sur coup son double-trois et le trois-un.

– Dis donc ! la l'évolution, c'est peut-êtl'e pas ton fol', mais en dominos tu t'y connais, joul'naliste.

– Pour sûr.

27. Le poète écrit des vers, découvre certains mystères de l'industrie nationale et finit par sauter de la fenêtre d'un immeuble

Dans la salle d'attente du bureau du patron, le poète écrivait avec un petit bout de crayon sur son carnet :

« Je couds mon âme à même ma peau
Et je désespère
La vie se vide de son sang
Et pourtant
J'attends toujours la Singer
Qui réparera
Avec des points précis
Ce qui se dévide en moi
Et reste derrière. »

Fermin remplissait ainsi son carnet de petits poèmes. De temps en temps, un ami lui en arrachait un et réussissait à le faire publier dans un journal ou dans une des revues qui commençaient à fleurir au lendemain de la Révolution. Il était fier d'être reconnu comme poète. Il sentait qu'il ne pouvait revendiquer aucune autre activité. Mais lorsqu'il écrivait un poème, il avait la sensation d'être un chasseur furtif, l'auteur d'un acte délictueux qui le rendait hors-la-loi. Aussi, quand la secrétaire sortit du bureau et lui dit d'entrer, cacha-t-il son carnet derrière son dos, troublé, comme s'il avait été surpris en train de se masturber.

Le bureau de Henry Peltzer était tapissé de photographies de voitures, de pneus aux capricieux dessins géométriques posés sur des socles, le caoutchouc flambant neuf. Derrière un gigantesque bureau en acajou, l'industriel germano-mexico-américain fumait un énorme cigare en jouant avec sa chaîne de montre.

Peltzer était un pur produit de la nouvelle bourgeoisie industrielle. Il semblait sortir des caricatures de bourgeois gros-pleins-de-soupe dessinées par Robinson, qui illustraient les articles de John Reed dans le *Metropolitan Magazine*.

– Content de vous voir, Mister Valencia. J'espère nos rapports aussi bonnes que dernière fois.

– Espérons-le, mister. De quoi s'agit-il cette fois ?

– Toujours même chose, Mister Valencia. On va mettre dans marché nouvel pneumatique. Bon, très bon pneu.

– J'aimerais bien avoir une idée de ses qualités. En quoi est-il différent ? Combien coûte-t-il ? J'ai besoin d'éléments pour travailler.

– Très bonne ! Meilleur pneu dans Mexique ! Peltzer, modèle 96-C, sert pour tous routes, tous marques, tous modèles. Nous l'appelons l'UNIQUE.

– L'unique ?

– L'UNIQUE.

– Bon. Il va être moins cher ? Il dure plus ?

– Non, plus chère ! Elle dure moins. Mais très bon, résistante. Voiture flotte sur pneu... Un cigare ?

– Non, merci.

– Ils viennent de Papantla. Très bons, comme les pneus.

– Vous voulez qu'on continue dans le même registre ? On refait du nationalisme bon marché ? Le seul pneu mexicain, etc.

– Du nationalisme chère. Laissez des blancs, je remplir les prix.

– Puisqu'on en est aux prix... parlons de mes tarifs. A quel genre de textes pensez-vous ?

– Court, long, une, deux, trois phrases, c'est pareil. Le reste, dessins, description, remplir ici. Vous, les phrases. Une, deux, trois bonnes phrases...

– Cinq cents pesos ! lança le poète, prévoyant l'orage. Cent pesos d'avance !

– Cinq cents pesos... mexicains ? Une fortune ! Pas possible ! Industrie nationale mal en point à cause concurrence. C'est terrible. Meilleur faire phrase ici. On remplit presque tout, Valencia, amigo. Mister Valencia...

– Si vous me commandez vingt annonces, je vous les fais à trente pesos chacune. Mais si vous voulez juste un slogan, c'est ce qu'il y a de plus difficile. Mon tarif est fixe. Bon, très bon, mais pas bon marché. Comme vos pneus. Cinq cents pesos.

– Poète, vous ne savoir pas réalité industrie nationale. Pas sortis du désastre Révolution. Un autre jour une autre éclate. Instabilité pas bien pour les routes, pas bien pour les pneus. Concurrence étrangère très mauvaise. Pneus de Detroit, on envoie beaucoup, bon marché mais pas bons. Beaucoup voitures aussi importées l'année dernière. Cinq mille. Concurrence terrible. Crise textile, crise minière, crise, crise, crise. Pas beaucoup argent, beaucoup rumeurs. Résultat, moins argent.

– Quelles rumeurs, mister Peltzer ?

– Rumeurs sur problèmes avec Etats-Unis. Rumeurs sur problèmes avec pétrole. Rumeurs sur coup d'Etat. Encore un ! Rumeurs aller, venir, pénétrer jusqu'ici. Militaires partout. Dans mon bureau même.

L'industriel abandonna le ton explicatif et prit une attitude de conspirateur. Il regarda sa montre et signala la porte.

– Dans dix minutes j'attends visite. Vous allez voir. Visites viennent, repartent. Beaucoup visites.

– Cinq cents pesos, reprit le poète. Il n'en avait rien à foutre des rumeurs.

– Quatre cents, OK ?

– Cinq cents, autrement je vais offrir mes services à la concurrence et je suis capable de leur donner mes idées gratuitement, sur un coup de tête.

– Cigare ? Papantla !

– Cinq cents.

– Beaucoup rumeurs. Temps difficiles. Beaucoup grèves. Anarchistes dans usines. Travaillent un jour sur deux. Toujours grève.

Le poète soupira. Le propriétaire de la seule industrie de pneus de Mexico marchandait comme n'importe quel petit commerçant du coin. Mister Peltzer ne serait jamais millionnaire. Ou peut-être était-ce ainsi qu'on devenait millionnaire. En fait, un travail de ce genre ne valait pas plus de trois cents pesos. Disons quatre cents pour Peltzer. Tout ce qu'il réussirait à gratter au-dessus de quatre cents, il le donnerait aux anarcho-grévistes qui devaient être des amis du Chinois.

– Je vais vous faire une réduction de 10% parce que vous m'avez fourni quelques idées. Mais je dois vous dire que c'est une faveur exceptionnelle que je vous fais, s'agissant d'une entreprise nationale – le poète se mordit la langue – qui doit affronter la difficile concurrence des monopoles étrangers. Qui plus est, basés à Detroit, une ville horrible.

– Vous connaissez ?

– Detroit ? Non.

– On conclut, quatre cent quarante, chiffre rond. Mieux encore, quatre cent cinquante.

– Et encore mieux, quatre cent soixante, dit le poète en prenant un cigare de Papantla.

Peltzer fit un large sourire.

– J'espère réclame sera bonne, aussi bonne que pneu.

– N'en doutez pas, cher Monsieur, assura le poète. Il se sentait comme Diego de Alvarado en train d'entuber les Indiens avec des colliers de verroterie.

Peltzer signa un bon d'avance pour la caisse et après une poignée de mains appuyée, l'accompagna jusqu'à la porte de son bureau.

Le poète lança un sourire à la secrétaire qui rajustait ses bas derrière la porte entrouverte d'un petit placard à balais. En poussant la vaste porte battante qui menait à la caisse, il tomba nez à nez sur un militaire en uniforme. Ou plutôt, son nez buta contre le dernier bouton

111

de la vareuse d'un petit lieutenant plutôt maigre qui trébucha sous l'impact. Le poète avait à peine eu le temps
de marmonner une excuse que le lieutenant, après
l'avoir regardé fixement, portait la main à son revolver.
Heureusement pour le poète, l'arme, un Mauser automatique à canon long, se trouvait dans un lourd étui de
cuir. Le temps que le lieutenant se débatte avec la fermeture, le poète lui envoya un coup de botte entre les
jambes et fit demi-tour en courant. Son œil enregistra
l'image d'un blondinet élégant aux moustaches cirées
qui semblait accompagner le militaire.

Tout en courant, le poète maudit son imprévoyance :
il n'avait pas emporté son revolver. Qui aurait pu pré-
voir une agression dans les bureaux de Peltzer, honorable fabricant de pneus ? Il traversa en courant le
bureau de la secrétaire, qui sortait du placard, les bas
impeccablement rajustés. Il entrait dans le bureau de
Peltzer quand le premier coup de feu résonna dans son
dos. La balle érafla le bureau d'acajou derrière lequel
Peltzer était toujours assis. Le poète passa à côté de lui
sans prendre le temps de refuser un cigare de Papantla.
Il regarda pas la fenêtre. Merde, un troisième étage ! se
souvint-il un peu tard.

L'immeuble formait presque l'angle de San Juan de
Letrán. Sans hésiter, il enjamba la fenêtre et se mit à
marcher sur une corniche d'à peine dix centimètres de
large. Une brise légère lui caressa le visage. Il entendait
des cris derrière lui. Peltzer était sans doute en train de
discuter avec le lieutenant et son ami. Le poète ne perdit
pas de temps. Serrant le poing, il cassa la vitre de la
fenêtre suivante. Un nouveau coup de feu lui confirma
qu'il n'avait pas le choix. Il sauta par la fenêtre, se cou-
pant les mains, déchirant son pantalon. Des éclats de
verre se plantèrent dans son chapeau.

En voyant surgir un homme au milieu d'une pluie
d'éclats de verre, le comptable de la firme spécialisée
dans la contrebande de fusils Remington et de machines
à coudre eut un choc. Le poète grava dans sa mémoire

l'image de cette pluie d'éclats de verre, pour la noter plus tard dans son carnet de poèmes.

Reprenant sa course comme s'il avait le diable aux trousses, il ressortit du bureau et suivit un couloir. Il ne retrouva ses esprits qu'une fois arrivé au Majestic : il était en train de boire un double-rhum et trempait soigneusement dans un autre verre une serviette avec laquelle il désinfectait ses coupures.

28. Le journaliste découvre, en faisant ses comptes, qu'il est amoureux ; une nonne lui sauve la vie ; il écrit un article sur un dompteur de lions

Manterola s'approcha de la glace en boitant et commença à étaler le savon sur sa barbe. La mousse abondante faisait ressortir l'éclat de ses yeux dans le miroir. D'un étui où étaient gravées ses initiales, un vieux cadeau de son père, il sortit un rasoir en acier allemand, l'essaya sur les poils de l'avant-bras et commença à se raser.

– Vous sortez aujourd'hui, n'est-ce pas, Monsieur ? interrogea la bonne sœur qui le regardait.

– Aujourd'hui ou demain, ma sœur. Le médecin veut encore vérifier l'état des cicatrices cet après-midi ou demain matin. Si tout est normal, il me laissera sortir.

– Je suis contente, mon frère, que vous vous soyez rétabli si vite.

– Ma sœur, je vous serais reconnaissant d'apporter cette boîte de chocolats à un malade d'une autre chambre qui en a plus besoin que moi. Je n'aime pas les chocolats.

– Avec plaisir, mon frère. Il y a une malade dans la chambre à côté. Elle a une bronchite et personne n'est venu la voir.

Le journaliste regarda dans la glace la bonne sœur prendre la boîte de chocolats ornée d'un grand ruban vert puis sortir de la chambre. Il reprit son rasoir allemand et continua son opération.

Selon le journaliste, le moment le plus propice de la journée pour mettre de l'ordre dans ses idées était celui du rasage. Il avait besoin d'un peu de cohérence. Pas trop, juste l'indispensable. Il n'y parvenait pas toujours. Tout semblait alors un brouillard d'imprécisions, de désirs vagues, de passions contradictoires, de nuages sombres, de dépressions irrationnelles.

Aujourd'hui, Manterola avait bien l'intention de mobiliser toutes ses capacités de déduction pour essayer de savoir quelle sorte d'oiseau de proie planait depuis quelques semaines au-dessus de lui-même et de ses camarades.

Ses yeux brillèrent de nouveau. Il avait mis du savon jusqu'aux sourcils pour s'amuser.

– Un, dit-il à mi-voix, comme s'il priait, on assassine un joueur de trombone au milieu d'un paso doble ; ou était-ce une marche militaire ? Dans ses poches on trouve suffisamment de bijoux pour ouvrir une bijouterie ambulante. Il s'agit d'un sergent de l'armée nommé José Zevada. L'assassin est gaucher.

Le rasoir passa doucement sur la cicatrice qu'il avait au cou.

– Deux. Deux jours plus tard, un homme tombe par la fenêtre de l'immeuble sis au numéro 23 de la rue Humboldt. C'est un colonel de l'armée qui s'appelle Froilán Zevada...

Il garda pour lui les points trois et quatre parce qu'il était en train de se raser soigneusement la moustache.

– Cinq. Trois types essayent de nous réduire à l'état de passoires. Aucun n'a survécu pour raconter son histoire...

Il réfléchissait au sixième point quand il se rendit compte, d'un coup, qu'il était tombé amoureux de la femme aux yeux violets. La force des images le troubla, ce qui faillit lui coûter la vie car le rasoir glissa jusqu'au cou.

Amour et suicide : c'était pour lui une vieille histoire, une combinaison de mots qu'il connaissait bien, indésirable mais réelle. Les gens tombent amoureux et ils se suicident après... pour ne pas se sentir ridicules devant l'échec.

– Eh bien, je suis bien content de te voir sur pied, lança Gonzaga, le dessinateur vedette de l'*El Demócrata*. Je croyais te trouver encore au lit.

– Gonzaga, quelle surprise ! s'exclama le journaliste, reconnaissant à son collègue de venir l'arracher à ses idées noires.

Gonzaga, qui depuis dix ans n'avait jamais été bien reçu nulle part, s'arrêta déconcerté. Il tenait son cahier de dessins d'une main et portait tant bien que mal de l'autre une Smith Corona qui devait bien peser quinze kilos.

– Je... balbutia-t-il, eh bien je viens t'apporter du travail, envoyé par la rédaction.

Gonzaga posa la machine à écrire sur la table et attendit que Manterola, qui le regardait dans la glace, finisse de se raser.

– Cette bande d'exploiteurs, ils ne peuvent pas attendre que je finisse ma convalescence ?

– Eh bien c'est moi qui en ai pris l'initiative. J'ai pensé que cette histoire te passionnerait, s'excusa Gonzaga en ouvrant son cahier de dessins et en s'approchant du journaliste.

Le dessin, où se combinaient les traits énergiques du crayon et les ombres du fusain, montrait un dompteur en uniforme de hussard autrichien du siècle dernier menaçant douze lions avec son fouet. On voyait au fond les barreaux d'une haute cage. Les lions avaient l'air agressifs, ils rugissaient en montrant leurs griffes au dompteur qui, le revolver dans son étui, tenait la main gauche posée sur sa hanche dans une attitude de défi.

– Qu'est-ce que ça veut dire ? Tu pourrais me raconter l'histoire, en essayant de ne pas abuser du langage télégraphique ?

– Cirque Krone, six heures de l'après-midi. Bien. Dompteur d'origine allemande, hispano-allemande. Silverius Werner Canada. Fou amoureux de l'équilibriste. Vraiment fou.

– Equilibriste homme ou femme ? Précise un peu, Gonzaga.

Celui-ci regarda fixement Manterola.

– Equilibriste femme, un peu pute.

– Ah bon !

– Il entre dans la cage aux lions au milieu du spectacle...

– Comme d'habitude ?

– Comme d'habitude. Bien. Au lieu de faire son numéro, il se met à casser les couilles aux lions, à coups de fouet. Bien. Ça les énerve. Ils le bouffent.

– Caramba !

– Une grande histoire d'amour. Le public médusé a tout vu.

– Mais putain, pourquoi ils l'ont pas sorti de la cage ?

– Il s'était enfermé. Une fois à l'intérieur, il a fermé le cadenas et jeté la clé.

– Il avait tout prévu. Et comment l'a-t-on sorti ?

– Ça, je ne sais pas. Je n'ai pas pensé à le demander. Toutes les hypothèses sont permises.

– Attends ! Ça veut dire qu'ils ne l'ont pas encore sorti ?

– Et bien... Il n'est pas impossible que les fauves continuent leur petit goûter.

– Bien, bien... imita le journaliste qui hésitait entre pleurer ou rire. Aide-moi à mettre la machine sur la table, ma jambe n'est pas encore très solide.

– Volontiers, dit le dessinateur en prenant la machine à écrire et en la posant sur la table de nuit.

– Encore un petit service, Gonzaga, pourrais-tu passer à l'administration de la clinique et leur demander du papier pour machine à écrire ?

La bonne sœur pénétra dans la chambre à toute vitesse, butant contre Gonzaga qui était sur le point de sortir

– Mon frère, je vous en prie, venez avec moi ! cria-t-elle avant de ressortir en courant.

Manterola et Gonzaga la suivirent. Dans son habit blanc, elle paraissait battre des ailes. Elle entra dans une chambre située au même étage, deux portes plus loin. Les premiers curieux commençaient à envahir le couloir.

– Regardez-la ! Mais regardez ! s'exclama la nonne en pleurant. Je venais de lui apporter les chocolats !

Sur le lit gisait le corps tordu d'une femme aux yeux exorbités, les mains crispées.

On apprit deux heures plus tard qu'elle avait été empoisonnée par le cyanure contenu dans un des chocolats.

29. L'Ombre de l'ombre et la Packard blindée

– Tu te rends compte ? Nous voilà pareils à l'ombre d'une ombre. Eux, les conspirateurs de la maison de la veuve Roldán, si tant est que la conspiration existe, sont une ombre. Sans profil, sans objectifs clairs. Du moins à nos yeux. Et nous, qui les poursuivons par à-coups, comme des enfants qui courent à l'aveuglette et trébuchent, nous sommes l'ombre de cette ombre. Tu te rends compte ?

– Bravo pour le lyrisme ! Vraiment, bravo ! lança l'avocat au poète.

Ils étaient en train de dîner d'une omelette au chorizo chez Abel, l'un des cinq meilleurs restaurants de la ville, moins bon que Cosmos ou Bach mais supérieur à Sanborns et à celui de l'hôtel Regis. Ils arrosaient leur dîner d'une paire de bouteilles de vin rouge d'Avila fraîchement arrivé de Veracruz qui, d'après le patron, aurait gagné à reposer un peu, mais que ses clients trouvaient excellent. Un vin âpre qui tachait les lèvres.

– Je te dis ça parce que je suis convaincu que si nous ne passons pas à l'offensive, et continuons, comme des idiots, à faire comme si de rien n'était, ils vont nous tuer.

– Qui ?

– L'Ombre. Ou ceux dont ils sont l'ombre, ou une ombre plus maligne que nous.

– Pourquoi se presser ? Il s'est passé quelque chose d'autre après ta prise de bec dans le bureau de Peltzer ?

– Ils ne vont pas nous rater éternellement. Combien de temps quelqu'un peut-il rester en vie dans cette ville, si on veut vraiment sa peau ? Il va falloir que nous prenions cette histoire au sérieux.

– C'est bien possible, reconnut Executor qui était d'accord avec la théorie du poète : ils ne pouvaient plus se contenter de survivre aux fusillades.

Le poète retira sa moustache de son verre et contempla longuement son ami. Il avait noté chez lui une certaine vocation pour le suicide. En grattant un peu, on la retrouvait aussi chez le journaliste et le Chinois. Lui-même éprouvait parfois une vieille tendresse pour la mort, un profond désir de paix. Il était harcelé par les souvenirs de la charge de l'armée de Pancho Villa à Paredon. Il se voyait comme un survivant qui avait perdu une bonne occasion de mourir glorieusement pendant la plus célèbre charge de cavalerie de l'histoire du Mexique. Mais c'étaient des sensations passagères, qui ressortaient le plus souvent à l'occasion d'un jeûne forcé ou d'une mauvaise grippe. Executor, en revanche, avait en permanence le sourire d'une dame aux camélias à l'agonie. Le poète insista :

– L'ombre de l'ombre doit passer à l'action.

– Tu proposes quelque chose ?

– Qu'on utilise l'argent que tu viens de gagner à la loterie pour acheter des armes. Le général Pancho Villa nous le disait toujours : l'argent ça sert à acheter des armes et des munitions.

La suggestion ne surprit pas Executor. Il ne manqua pas de lui donner tout son sens. Les munitions, cela pouvait aussi signifier une nouvelle bouteille d'Avila. Il fit signe au garçon de l'apporter.

Le restaurant était à moitié vide. Il était trop tard pour le déjeuner et trop tôt pour le dîner, mais les amis célébraient la petite fortune gagnée par l'avocat à la loterie : 1 700 pesos. L'histoire du billet gagnant était assez étrange. En sortant d'un hôtel de passe, Executor avait emporté par erreur un imperméable qui n'était pas le sien. Un billet de loterie se trouvait dans la poche. Le lendemain, le numéro était sorti. Le troisième lot. Il s'apprêtait à fêter dignement sa bonne fortune quand il était tombé sur le poète qui, assis sur un banc de l'Alameda, était en train de composer un acrostiche passionné à l'intention de la chanteuse Lupe Vélez.

Ils en étaient à la cinquième bouteille. Ils buvaient en bonne harmonie. Au point, c'est du moins ce qu'ils se dirent plusieurs années plus tard, qu'ils abusèrent quelque peu l'un de l'autre : le poète lut à l'avocat un interminable poème en vers libres, avec lequel, sous le pseudonyme de Blanca Flor López, il avait, dans l'espoir de gagner quelques sous, participé au concours de poésie de Milpa Alta. De son côté l'avocat, attendri, lui débita trois chapitres de sa thèse de doctorat de droit international : « Les eaux territoriales dans les canaux transocéaniques ».

Si la mémoire des barmans, serveurs, maîtres d'hôtel et agents de police de Mexico est fidèle, elle peut témoigner que ce fut la première et seule cuite que les deux amis prirent ensemble depuis qu'ils se connaissaient. Les raisons en demeurent obscures. A quel moment et pour quelle raison, le poète Valencia et l'avocat Executor avaient-ils décidé de passer de l'abus d'alcool contrôlé à l'ivresse totale ? Pourquoi cette passion soudaine pour Gay Lussac ? Peut-être avaient-ils touché le fond. A moins que la surprise d'être temporairement riches les ait rendus fous. La tension à laquelle ils étaient soumis depuis plusieurs semaines y était sans doute aussi pour quelque chose. L'ivresse du vin est généreuse. Elle incite à la nostalgie pleurnicharde mais sereine, et aux actions d'éclat. Vers six heures et demie, ils en étaient à leur septième bouteille.

– On aurait besoin d'un tank, dit le poète. Un tank comme ceux que les Anglais ont utilisés pour la bataille de la Somme il y a cinq ans. J'ai vu les photos dans l'*Universal Illustré*. Avec les chenilles et le petit canon. Du fer qui ne craint rien.

Une voiture blindée ! Une Packard comme celle du général Pablo Gonzalez.

– Pour ce qu'elle lui a servi !

– Il a été trop naïf. Il n'avait pas pris sa Packard pour aller à Monterrey. C'est là-bas qu'ils l'ont eu.

– Et qu'est-ce qu'on va faire d'une Packard ?

– La même chose que d'un tank, sauf que ce sera plus discret.

– Je me tâte, dit le poète, planquant sa tête derrière les bouteilles vides comme s'il cherchait à éviter le regard soudain grave d'Executor. Après tout, les gentils, dans cette histoire, c'est peut-être eux et nous, on n'est que des emmerdeurs, des fouille-merde.

– Une nouvelle expression, cher poète ?

– De quoi, cher maître ?

– Ecoute, tu crois vraiment que si c'étaient eux les gentils, ils auraient les gueules qu'ils ont ? Si Manterola était là, il dissiperait tout de suite tes doutes. Le colonel Gómez, je suis sûr qu'il volait les biberons de ses petits frères. Et l'espingouin, et le petit lieutenant, et le Français, et l'hypnotiseuse, et la veuve...

– J'ai l'impression que le journaliste est tombé amoureux de la veuve... Et toi-même, tu n'est pas tout à fait indifférent à son amie Conchita, n'est-ce pas ?

– Là, poète, tu me surprends. Personne n'est parfait. Mais qu'est-ce qu'on va faire d'un tank ?

– Rien, répondit le poète. Et il se mit à déclamer des vers de Maples Arce, un jeune poète originaire de Veracruz. Il était tombé dessus le matin même.

« La ville insurgée aux annonces lumineuses
Flotte dans les almanachs
Soir après soir là-bas
Dans la rue repassée un tramway saigne. »

Executor regarda attentivement son ami.

– Merde, j'aimerais bien écrire comme ça ! ajouta le poète.

A la neuvième bouteille, sans s'être concertés, ils eurent un nouvel accès de bellicisme et reprirent le fil de l'histoire.

– Moi, j'ai vu comment ils ont tué le joueur de trombone. Ce n'était pas beau à voir. Ils ne lui ont laissé aucune chance. On était bien dix mille, un peu moins, cinq mille, disons mille à écouter le concert. Ils lui ont fracassé la tête. En pleine tronche, comme ça ! Un... coup de feu... Non ?

— Moi, j'étais à la soirée mais je me suis endormi pendant la projection. Le film ne valait rien... Eux, on aurait dit des Romains. Aussi décadents, pareils... Et les coups de pétard, mon ami, les coups de pétard... J'ai encore mal à la main, dit Executor en faisant bouger sa main toujours bandée.

— Et cet officier qui a failli me tuer et m'a fait faire un numéro de singe savant sur la corniche de l'immeuble. A cause de lui, j'ai la gueule en morceaux, regarde !

Il montrait les blessures que les éclats de verre avaient laissées sur un visage qui semblait s'éteindre au fur et à mesure de leur conversation.

— J'ai pensé que... commença Executor.

Il hésita, réfléchit un instant, mais quand il voulut reprendre, il avait déjà oublié ce qu'il voulait dire.

Le lendemain, l'avocat se réveilla l'estomac en piteux état : le vin d'Avila n'était pas seulement âpre au goût. Ce qui ne l'empêcha pas, le reste de sa fortune en poche, de sortir acheter une Packard blindée d'occasion.

30. Evénements isolés survenus le même jour

Cipriano vint voir Thomas pendant le travail et dit en lui prenant le bras :

– Thomas, pourrais-tu héberger un camarade chez toi ? Tu sais que je ne te le demanderais pas si ce n'était pas très important.

Thomas acquiesça :

– S'il n'a pas peul' de se cogner en se levant le matin. La maison est pleine.

– Tu t'es marié ?

– Tl'op long à expliquer. Amène-le chez moi demain.

– Tu connais le cinéma Rialto à San Angel ? En face, il y a un petit restaurant tenu par la veuve de Maganas, le camarade de la Carolina tué par les jaunes. A dix heures et demie demain matin, tu y trouveras un camarade en train de lire *Les Misérables* de Victor Hugo. S'il porte une casquette, ne t'approche pas, attends qu'il sorte et suis-le en faisant attention ; regarde s'il est suivi. S'il n'a pas de casquette, tu peux l'aborder.

L'arrivée du chef d'atelier mit fin à leur conversation.

Une heure et quart plus tard, le journaliste, sorti la veille de la clinique et encore sous le coup de l'histoire des chocolats empoisonnés, se rendait à la septième section pour y faire sa déposition en compagnie de son ami l'avocat Executor. Nacho Montero, le responsable de la section spéciale, n'apprit rien qu'il ne sût déjà et leur en dit moins encore. Les chocolats avaient été déposés à la réception par un garçon d'étage de l'hôtel Bristol. Un bonbon sur trois seulement était fourré au cyanure. La défunte avait choisi le bon du premier coup. Chaque chocolat contenait une dose de cheval et il était difficile de ne pas en sentir le goût, même si les chocolats étaient aux amandes. Ils n'en dirent pas plus.

– Des ennemis ?

– Pfff ! Comment savoir ? Dans ce métier, on s'en fait toujours quelques-uns. Parfois, on ne les connaît même pas.

On en resta là.

Dans la rue, il commençait à crachiner. Deux cavaliers pressèrent le trot de leurs chevaux et dépassèrent une Ford bringuebalante. Executor ouvrit la porte de la Packard blindée et aida le journaliste à s'asseoir.

– Ça commence à bien faire. Il nous faut de l'action.

– La veuve m'a juré qu'elle et ses amis n'y étaient pour rien.

– Qui alors ?

– Pas la moindre idée. Mais tu as raison. Ça suffit comme ça.

– Personne ne proteste de son innocence tant qu'une accusation n'a pas été lancée. Personne ne donne de réponses si on ne lui pose pas de questions.

– Tu as raison. Il faudrait commencer par là.

– Hier, on a tiré sur le poète et on a failli le tuer. Mettons la pression et voyons si l'Ombre sort de l'obscurité et se montre, dit Executor en démarrant.

– L'Ombre ? Quelle Ombre ?

– L'ennemi. C'est comme ça que le poète l'appelle. Quant à notre club de joueurs de dominos, il lui a trouvé un nom encore plus lyrique : l'Ombre de l'ombre.

– Pas mal du tout. On pourrait l'embaucher au journal.

Au même moment, l'intéressé se trouvait devant l'entrée de service de l'hôtel Regis en train d'essayer de vendre au cuistot six jambons de Toluca qui pouvaient parfaitement passer pour des jambons de Santander. En fait, ils n'étaient même pas de Toluca mais de Tlaxcala et le poète les avait reçus en paiement d'un poème écrit pour les quinze ans de la fille d'un propriétaire de Santa

Inês. Il parvint quand même, après moultes palabres, à les fourguer pour dix-sept pesos et un crédit de six repas au restaurant de l'hôtel. Un peu plus tard au bar, alors qu'il essayait de troquer les bons de repas contre leur équivalent en boissons, il aperçut un journaliste américain qui travaillait pour Hearst en vive discussion avec Wolfe. Le poète connaissait Wolfe, professeur d'anglais à l'Ecole Préparatoire et ami des peintres qui étaient en train de décorer les murs de ladite école avec d'immenses fresques murales. Le gringo lui était sympathique : il avait fait, en quelques mois, de gros progrès en espagnol et parlait du Mexique avec tendresse et franchise. Il écrivait pour une agence de presse de gauche à New York et collaborait aux journaux du Parti Communiste Américain. Il buvait peu et avait une femme – Ella – superbe. Le poète s'apprêtait à aller s'asseoir au fond de la salle, deux verres pleins devant lui, pour tenter de mettre en forme un poème qui lui trottait dans la tête. Il allait passer devant leur box sans s'arrêter lorsqu'il se rendit compte que les gringos discutaient du cadavre découvert par Manterola une semaine plus tôt dans le même hôtel. C'est pourquoi le poète, qui commençait à s'habituer à ce que les fils de la surprenante histoire dans laquelle il s'était embarqué se croisent et se décroisent à l'improviste, prit une chaise et s'assit avec eux.

Que rajouter d'autre à cette journée sinon que, tandis que le Chinois terminait son travail avec la seconde équipe, Marie aperçut à deux ou trois reprises par la fenêtre de la petite chambre de Contreras deux ombres qui surveillaient la maison du coin de la rue ?

Manterola pour sa part fit des cauchemars : une femme nue, une capeline sur la tête, s'avançait vers lui bras ouverts, un énorme couteau de boucher dans chaque main.

Quant à Pancho Murguía, le général favori de Carranza, franchissant la frontière depuis les Etats-Unis, il se lança dans une énième rébellion militaire, aussi éphémère qu'infructueuse, contre les caciques de l'Etat de Sonora.

31. Le jeu s'interrompt

Quand le poète pousse le battant de la porte du Majestic, Thomas est debout au bar en train de boire un verre et fait comme s'il n'avait pas senti le courant d'air de la rue, mais Manterola et Executor, à leur table habituelle, sourient.

La partie leur est nécessaire, pas tant pour la façon dont les dominos vont claquer sur la table que pour leur permettre de prendre la mesure de l'histoire qui s'est tissée autour d'eux. Comme une pièce de théâtre où le metteur en scène distrait aurait oublié de distribuer les rôles de plusieurs personnages qui se verraient mêlés à des dialogues, des assassinats, des fêtes, des orgies, des cantiques, sans savoir exactement ce qu'ils ont à jouer. Le poète est conscient de ce besoin. Il va droit à la table, sans plaisanteries ni prologue. Même Thomas ressent cette urgence et, laissant son verre à moitié plein, va s'asseoir avec ses compagnons.

Ce changement aux règles flotte subtilement dans l'air et le barman, qui ne le comprend pas, le perçoit comme une légère menace. C'est pourquoi il ne s'approche pas de la table où les dominos, sous les doigts agiles de Manterola, tournent et se mélangent en montrant aux joueurs leurs faces noires.

Ils ne s'en rendent pas compte, mais c'est la première fois qu'ils n'ont pas tiré au sort les équipes. Ils se sont laissés tomber sur les chaises sans se concerter.

– Messieurs, c'est parti, dit Thomas en laissant tomber au centre le double-six.

C'est le signal qu'attendait le journaliste pour sortir une feuille de la poche de sa veste, la déplier et suggérer :

– J'ai ici une liste de certaines des questions qui me sont passées par la tête. Voyons si nous arrivons à sortir de l'imbroglio dans lequel nous ne devrions pas nous trouver, mais qui ne nous fait pas peur.

– A l'attaque ! s'exclame Executor en mettant le six-quatre.

– Vous faites allusion aux quatl'e ? demande Thomas qui jouit de l'impatience de ses compagnons.

Le masque en permanence sur le visage, il s'amuse de ce que les "gestes impassibles des Asiatiques" restent en travers de la gorge de ses amis.

– Je me couche, dit le poète.

– « Petit joueur se couche avant l'heure », rappelle Manterola.

– Non, je ne parle évidemment pas des quatre, reprend Executor avant de regarder le journaliste. Vas-y Manterola. Cette histoire perturbe le grand sommeil dans lequel je suis plongé depuis novembre 1887.

– Novembre 1887 ? Ah, oui, ta date de naissance. Pardon, je ne suis pas rapide aujourd'hui, s'excuse le poète.

– Elles ne sont pas dans l'ordre, bien sûr, mais les voici. Premièrement : qu'est-ce qui relie Margarita, la veuve Roldán, au colonel Gómez, à Conchita la secrétaire, à Ramón l'espingouin éjaculateur à distance, au lieutenant dont nous ne savons pas le nom et à l'aristocrate français dont nous ignorons beaucoup ? Quel est le lien ? Qui parmi eux habite la maison et pourquoi ? Qui sont les habitués ?

– Bravo pour le style, Monsieur le journaliste ! Bravo pour cette première question ! s'exclame le poète.

Et voyant le cinq joué par le Chinois, il se dit que le double-six de son compagnon qui a démarré la partie et que personne n'a remis en cause, est un accident. Par réflexe, il sépare les deux six qu'il avait mis côte à côte dans son jeu, le six-trois et le six-blanc.

– Vous voulez des réponses ? vous en avez assez des questions ? s'enquiert Executor en souriant. Il est partagé entre le plaisir et le désagrément de se retrouver impliqué dans une histoire qui leur est tombée dessus sans crier gare.

– Laissons les réponses à plus tard, dit le journaliste.

Il joue un quatre qui laisse ouvert le six du début, de l'autre côté de la table, et lit d'une voix sourde, sans intonations :

– Deuxièmement : qui a tué le sergent Zevada ? Et le colonel Zevada ? Si nous supposons qu'il s'agit du – ou des – même(s), voyons le pourquoi. Demandons-nous ce qui unit les frères Zevada au groupe de Gómez et de la veuve. Etaient-ils en relation avec tous ? Avec certains ? Nous savons que les Zevada connaissaient Margarita, ou en tout cas avaient une photo d'elle. C'est grâce à cette photo que nous les avons retrouvés. Nous savons aussi que Margarita se trouvait dans l'immeuble en face du journal lorsque le colonel Zevada a été défenestré. C'est tout ce que nous savons.

– Question pertinente, mon cher, dit à nouveau le poète.

Silencieux, le Chinois hésite à suivre le fil des questions ou à bloquer le jeu avec ses six. Il craint que son partenaire, qui jusque-là n'a pas fait des miracles, ait mal compris sa stratégie.

– Continue, nous avons pour le moment bien plus de questions que de réponses, dit Executor avec un grand sourire.

– Je me couche, lance le journaliste en posant le double-deux.

– Sur les six, dit le Chinois en respirant si doucement qu'il est le seul à entendre son soupir.

– Continue, le mystère s'éclaircit, encourage Executor.

– Troisièmement : pourquoi le moins brillant des deux Zevada avait-il les bijoux dans sa poche ?

– Bien vu, approuve le poète. Bien vu pour les six et pour les bijoux. Tout s'éclaire. Voilà qui confirme ma philosophie : quand on n'y comprend goutte, il faut lais-

130

ser l'eau couler sous les ponts.

– Quatrièmement, combien y a-t-il de gauchers dans cette histoire ?

– Avant de passer à la cinquième question, interrompt Executor, je voudrais suggérer de ne pas faire de distinction d'ordre subjectif entre les frères Zevada, à moins que vous ayez des arguments pour penser que l'un est plus intelligent que l'autre. Parlons d'un Zevada musicien, et d'un Zevada colonel.

D'un petit coup sec de domino sur la table, il indique qu'il passe.

– Cinquièmement, que faisait la veuve Roldán dans l'immeuble de la rue Humboldt ? Qu'y faisait Zevada le colonel ? D'où exactement est-il tombé ? J'étais tellement fasciné par la veuve que je n'ai rien vu. Un manque absolu de professionnalisme : je n'ai même pas lu l'article de mon collègue à ce sujet.

– Moi je l'ai lu, dit Executor. Il s'est jeté – ou on l'a jeté – des bureaux de la bijouterie Weiss. Ou plutôt d'une fenêtre de la pièce attenante.

– Mais il n'y avait pas de bijoux sur le cadavre, j'en suis sûr.

– De toute façon, le bijoutier a déclaré qu'il ne le connaissait pas.

Désolé d'avoir l'air pédant dans un instant pareil, mais vu que notre aimable journaliste ne se décide pas à jouer un domino, puis-je vous suggérer la lecture d'un écrivain anglais nommé Conan Doyle ?

– Il est traduit ?

– Non, dit Executor, mais Thomas a raison. Il a publié un roman policier en feuilleton dans *Strand Magazine*, avec beaucoup de succès. Aux Etats-Unis, il fait un malheur. C'est un détective toujours accompagné d'un médecin.

– Nous aussi, nous en aurions besoin.

– A défaut d'Anglais, nous avons un Français. Au fait, comment s'appelle-t-il ?

– Michel Simon ou quelque chose comme ça, répond

Executor. Je ne sais pas s'il est gaucher, mais il porte son pistolet à gauche, dans sa guêtre. Un petit pistolet, un Derringer ou une saloperie dans le genre.

– Les Derringer, on les utilise pour faire des trous dans le gruyère, remarque le poète.

– A trois mètres, ça tue aussi bien qu'un colt 45 spécial, rectifie Executor, qui s'y connaît.

– Sixièmement... mais recevez auparavant, vénéré fils du Levant, ce quatre...

– L'Etat de Sinaloa, c'est vel's le Couchant, chel' joul'naliste. Mais je vous l'emel'cie poul' ce quatl'e.

– Sixièmement donc : comment Gómez est-il devenu colonel de la gendarmerie de Mexico alors que c'était un ami de Pablo Gonzalez ? Pourquoi a-t-il survécu à la purge des gonzalistes en 1920 ?

– Bonne question. Tu peux nous éclairer là-dessus, Thomas ? demande le poète.

Le Chinois fait non de la tête.

– Septièmement : Roldán est-il mort de mort naturelle ? Margarita est-elle veuve naturellement ?

La partie s'est arrêtée. Contre toutes leurs habitudes, les joueurs ne parviennent pas à faire coïncider le placement des dominos et leur conversation. Aucun des habitués du bar ne vient jeter un coup d'œil à la table, comme cela arrive parfois et le barman n'apporte pas la bouteille de rhum et les quatre verres.

– Huitièmement : existe-t-il un lien entre le "Club de l'Ombre", ainsi qu'il a été baptisé par notre cher poète, et l'Anglais assassiné au Regis ? La présence du colonel Gómez, et sa petite manipulation avec la clé, était-elle un hasard ? Qui est l'Anglais assassiné ? Que faisait-il à Mexico ? Qui est son ami disparu ? Où est passé le million de pesos en actions ?

– A ce sujet, j'ai quelques informations, intervient le poète. Je suis tombé par hasard sur Wolfe et William, l'autre oiseau qui travaille pour Hearst. On a parlé du cadavre.

– Qu'en dit Wolfe ? interroge Manterola, qui connaît

le journaliste américain.

– Qu'il s'agit d'un émissaire des Anglo-Hollandais. Il était au Mexique pour rencontrer le gouvernement à propos de droits d'exportation pour les compagnies pétrolières. Il ajoute que, suite au traité Lamont-Delahuerta, négocié à New York, et à la reconnaissance par le gouvernement d'Obregón d'une dette d'un milliard de pesos envers la banque internationale, garantie par la Compagnie nationale des chemins de fer et les droits d'exportation des compagnies pétrolières, les barons du pétrole pensent que l'administration va tenter de leur appliquer rigoureusement l'article 27 sur la propriété nationale du sous-sol, et que les négociations qui s'ensuivront risquent de tourner au vinaigre. Blinckman, l'ingénieur, était le premier émissaire secret britannique, chargé de négocier en dehors des Américains, avant que tout cela n'explose au visage du gouvernement d'Obregón et que les choses n'empirent. William prétend que Blinckman avait des mœurs spéciales et qu'on lui a mis un pistolet dans la bouche pour ne pas lui mettre autre chose. Une affaire de Messieurs, comme il dit. Wolfe est persuadé qu'il faut y voir la main des compagnies pétrolières. Il croit que les assassins étaient des *pistoleros*, des Américains travaillant pour la Huasteca ou la Texas Oil. Il prédit de nombreux règlements de comptes anonymes durant les prochains mois, si les compagnies commencent à jouer au baccara les unes contre les autres. William pour sa part s'en tient à la version officielle : c'est Van Horn, son compagnon de chambre disparu, qui l'a tué.

– Tout ceci m'amène à la neuvième question. Qu'est-ce que Tampico a à voir là-dedans ? Zevada et Gómez sont devenus colonels à Tampico. Les compagnies pétrolières ont leur siège à Tampico. L'histoire nous mène-t-elle à Tampico ?

– Thomas... demande Executor.

– Là-bas, j'étais blanchisseul', puis menuisiel'. Je les connais tous les deux. Leul' nom était célèbl'e dans toute la zone pétl'olièl'e. Pendant la gl'ève de 19, ils ont tous les deux fait til'er su' les tl'availleul's. C'est tout ce que je sais. Tampico est une ville sale où coule beaucoup d'al'gent. On achète et on vend des colonels, des génél'aux, des tell'es. On tue facilement. Le pétl'ole est comme une flaque de mel'de noil'e. Tl'ès noil'e.

– Dixièmement : qu'est-ce que la Chinoise de Thomas vient faire là-dedans ?

– L'ien, dit Thomas avec un sourire qui lui fait oublier un moment Tampico.

– Pardon Thomas, mais il n'y a pas de hasard dans cette histoire. Si au milieu d'une fusillade, une femme sort en courant d'un taudis pour te demander de la sauver, il faut bien que je m'interroge.

– L'ien, répète le Chinois.

– Onzièmement, donc : qui a engagé l'Espagnol Suarez et Tibon pour qu'ils nous tuent ? Qui était le troisième mort de la fusillade de cette nuit-là ? Qui d'entre nous était visé ? Moi parce que j'avais approché la veuve et lui avais fait trois réflexions bêtes ? Le poète, qui avait vu l'assassin de Zevada le musicien ? Thomas, qui avait sauvé Marie Lopez et l'avait amenée chez lui ? Moi encore, pour avoir suggéré dans le journal que le "suicide" de Blinckman était un assassinat ? Tous les quatre ? Tout cela est-il lié ou non au reste de l'histoire ?

– Ça fait trop de questions pour un seul homme en une seule nuit, dit le poète.

– Attends, en voici une autre. Douzièmement : qu'est-ce que Margarita Roldán voulait de moi quand elle m'a rendu visite à l'hôpital ?

– Et moi, que me voulait Céleste l'hypnotiseuse, à part m'expliquer le magnétisme ? Je n'ai jamais pu tirer ça au clair.

– Encore une question, la treizième : qui est l'officier qui de but en blanc a arrosé de plomb notre cher poète, et pourquoi ?

– Ça, c'est facile, signale Executor. Si nous n'avions

pas bu autant de vin d'Avila l'autre jour, la question serait déjà résolue. Il ne s'agirait pas d'un homme d'à peu près un mètre soixante-dix, avec des favoris, les yeux saillants, les sourcils très fournis, moins de trente ans ?

– Non, putain, non. Sitôt qu'il m'a vu, il m'a tiré dessus mais, si je me souviens bien, il était mince, bien plus grand que moi, glabre, et plutôt blond, de ces bruns blonds à cause du soleil ou du froid.

– D'où as-tu tiré le signalement que tu lui suggérais ? demande le journaliste à l'avocat.

– Je pensais qu'il pouvait s'agir de l'aide de camp de Gómez, un petit lieutenant qui ne le quittait pas le soir de la fête et qui tournait autour de l'hypnotiseuse. Mais la description du poète m'évoque peut-être un autre officier de l'entourage de Gómez.

– Si ce n'est pas non plus celui-là, c'est encore plus compliqué... Et il n'a rien dit avant de tirer ? Pas très mexicain tout ça.

– Il ne m'a même pas dit bonjour. Il m'a regardé une fois, deux fois et le plomb est parti.

– Merde, j'oubliais une question. Quatorzièmement : qui a envoyé les chocolats à l'hôpital et pourquoi ? Et une autre encore – quinzièmement : que savons-nous ? Qui dérangeons-nous ? Qu'avons-nous fait ?

– Ça, c'est la plus importante, dit Thomas.

– C'est la dernière.

– Il y en a assez comme ça, conclut l'avocat. Si tu n'y vois pas d'inconvénients, nous allons découper ton papier en morceaux et tirer au sort les questions. Il est temps de commencer à trouver les réponses. De toute façon, les dominos, c'est fichu pour ce soir.

– Juste quand Thomas et moi allions gagner.

– Mon père disait toujours qu'on ne parle pas en jouant, décrète Executor en découpant soigneusement la liste en quatre.

– Pourquoi disait-il cela ?

– Qui ?

– Ton père.

– Mon père ne m'a jamais adressé la parole, répond Executor.

Le poète sourit. Thomas se lève et se dirige vers le comptoir.

32. Retrouvailles un jour de pluie

Mexico trouvait au sud son prolongement prolétaire dans les quartiers de San Angel, Puente Sierra, Tizapán et Contreras. Des villages reliés à la ville par le fin cordon ombilical du tramway de Tacubaya. Des rues empierrées qui formaient des labyrinthes, des ruelles qui débouchaient toujours sur les grandes usines textiles qui occupaient les bâtiments d'anciennes *haciendas*. L'Abeille, la Caroline, l'Eureka, la Magdalena, l'Alpine, Santa Teresa étaient autant d'entreprises dont les patrons étaient français, anglais ou espagnols. Entourées de crasseuses maisons prolétaires attribuées aux travailleurs pour des périodes données, les usines suaient la teinture. Autour des maisonnettes, on trouvait de petits jardins où les ouvriers travaillaient quelques heures par semaine, essayant de ne pas oublier leurs origines paysannes.

Au sud, il pleuvait. Et cette ville née pour la pluie, la pluie la rendait folle. Les rues se transformaient en torrents qui convergeaient vers la petite place de la mairie de San Angel. Automobiles et charrettes pleines de marchandises s'enlisaient dans des rivières de boue. Cela rendait fous les cyclistes et nerveux les chevaux de la gendarmerie montée qui patrouillait régulièrement dans le secteur.

Thomas, protégé par une bâche imperméable grise, sautait les flaques de pavé en pavé. Il glissa plusieurs fois mais comme par magie ne perdit jamais l'équilibre. Il s'arrêta enfin devant un petit restaurant. Au fond de la salle, trois ou quatre ouvriers étaient en train de manger : l'un d'eux, maigre, les sourcils rapprochés, la

casquette posée à côté d'une assiette de soupe non enta-
mée, lisait le tome 2 des *Misérables*.

– San Vicente !

– Thomas ! Merde alors ! Je ne savais pas que ce
serait toi, répondit l'autre avec un sourire chevalin.

– Ça fait bien un an, non ?

– À peu près, dit San Vicente en invitant le Chinois à
s'asseoir. On ne s'est pas revus depuis mai de l'année
dernière.

– Je ne pensais pas te revoir si vite.

– J'ai passé six mois au Guatemala, à essayer d'organiser des choses là-bas. Et puis j'ai repassé la frontière à
pied. Une sacrée merde, petit ! Il y avait plus de mous-
tiques que d'arbres. Il a fallu ensuite que je change de
nom. J'étais à Atlixco à la fin de l'année. Les jaunes
rôdaient partout et je me suis retrouvé mêlé à une sale
fusillade. J'ai encore dû quitter les parages et je me suis
retrouvé à Tampico. Mais ce n'est plus comme quand
nous y étions. Maintenant que je suis obligé d'être à
moitié clandestin, si je prends la parole dans une
réunion, je dois passer quinze jours planqué sous la
table. Pas moyen de faire mon boulot ouvertement. De
toute façon, là-bas, ça marche du tonnerre, chinetoque.
L'Idée se propage sur tous les champs de pétrole. On va
bientôt avoir un syndicat selon nos idées. C'est une
question de mois. Un an maximum.

– Et maintenant ?

San Vicente se leva et étreignit le Chinois, que l'émotion des autres rendait toujours nerveux mais qui,
malgré sa raideur, lui rendit son étreinte.

– Tu as maigl'i, l'ami. Un vl'ai cas de malnutl'ition.

– Tu parles ! En quittant Tampico, je suis passé par
San Luis Potosi. Je suis resté chez des camarades mais
que veux-tu, ils n'avaient même pas à manger pour eux.

– Tu es l'echel'ché ici ?

– Je ne crois pas qu'ils sachent que je suis à Mexico.
Mais si quelqu'un me reconnaît et me dénonce, c'est la
merde. J'ai parlé avec Huitron et Aguirre. Ils m'ont dit
de rester dans le sud, de ne pas descendre en ville. Tu

crois que je pourrais trouver un boulot de mécanicien par ici ?

– Des bons mécaniciens, sul'tout poul' les chaudièl'es, il en manque toujoul', mais sans l'ecommandations, ils te paiel'ont moins. Ils vont en pl'ofiter.

– J'ai les meilleures fausses recommandations du monde, l'ami. Encore heureux : je ne veux pas me retrouver coincé pour des questions de papiers.

– Alol', c'est du tout cuit. Il faut chel'cher une petite usine où pel'sonne ne te connaisse ou avec des gens totalement fiables. La Pl'ovidence, peut-êtl'e. Ou l'Aul'ol'e. Tu vas fail'e du tl'avail syndical ?

– Non. Dans les groupes seulement. C'est pour cela que j'ai demandé quelqu'un qui me mette en rapport avec le groupe le plus actif ici. J'ai deux ou trois idées à leur proposer.

– Tu veux pl'oposer une action dil'ecte ? Mon gl'oupe est dul', mais c'est un gl'oupe de pl'opagande. On a pal'fois dû descendl'e dans la l'ue, mais pas d'action individuelle.

– Vous allez m'écouter avant de refuser ? demanda San Vicente en regardant fixement le Chinois.

– Bien sûl'.

– Bon, alors ça va. Où est-ce que tu peux m'héberger le temps que je touche mon premier salaire ?

– Chez moi. Mais il n'y a qu'un lit poul' tl'ois, répondit Thomas.

Il pensait que le lit était étroit et qu'il faudrait de nouveau organiser un dispositif tête-bêche. Marie n'apprécierait pas beaucoup.

– Eh, frère, je dormirai par terre ! Il ne manquerait plus que ça ! Ça ne sera pas la première fois. Tu t'es marié Thomas ?

– J'ai une compagne, mais c'est une histoil'e tl'ès étl'ange. Je te l'acontel'ai

– Pourrais-tu trouver un logement pour un autre camarade qui vient de Puebla ? Un camarade de confiance, je te le garantis.

139

– Je suppose que oui. Il faudl'a que j'en pal'e samedi aux camal'ades.

Thomas observait San Vicente, l'anarchiste déporté en mai 1921 par la police d'Obregón. Un homme des plus fiables, mais particulièrement enclin à répondre par la violence individuelle à la violence du système. De son côté, San Vicente contemplait, toujours souriant, la rue battue par la pluie.

Devant le café Paris, la pluie était aussi violente. Une vendeuse de fleurs s'était abritée sous le porche et bouchait la vue de la rue à Manterola. D'ordinaire, la pluie le rendait triste. Là, en plus, sa récente blessure à la jambe le faisait souffrir : une douleur douce et diffuse autour des muscles près de la cicatrice. Cela l'empêchait de se concentrer. La pluie, de même qu'à tous les journalistes approchant la quarantaine, lui rappelait des vieilles histoires d'amour. Presque toujours des amours gâchés par l'impatience et le désir de propriété qui semblent devoir toujours accompagner l'amour.

– Un autre, Monsieur ? demanda le garçon en lui proposant la bouteille de brandy espagnol.

– Non, Martial. Deux, c'est plus qu'assez pour un après-midi de pluie pareille. Mais servez un verre en face de moi. La personne que j'attends va traverser la rue, se mouiller dans cette flaque et passer la porte dans moins d'une minute.

– Comment le savez-vous, Monsieur ?

– Depuis que je la connais, elle arrive toujours une demi-heure en retard, répondit le journaliste en sortant de son gilet une montre suisse qu'il avait dû faire réparer et qui présentait deux grosses cicatrices sous le couvercle argenté.

Le journaliste leva les yeux. La vendeuse de fleurs s'était écartée et il put voir Elena Torres qui descendait d'un taxi et traversait la rue en évitant les flaques.

Elena et le journaliste se connaissaient depuis 1919, année où l'institutrice originaire du Yucatan était arrivée à Mexico en tant que représentante personnelle de Carrillo Puerto et du Parti Socialiste du Sud-Est. Elle avait été la seule femme à siéger au congrès du Yucatan où son passage s'était traduit par des décrets sur le divorce, le droit de vote et le travail féminin. A Mexico, elle avait impulsé le féminisme rouge aux côtés de Evelyne Roy, éditrice de *la Mujer*, membre influent du premier Parti Communiste, par ailleurs responsable de *El Comunista*, un des principaux organes du PC mexicain. La révolution de Agua Prieta l'avait propulsée, en compagnie de Carrillo Puerto, dans les rangs des vainqueurs. Elle avait été secrétaire à la police de la capitale durant l'éphémère gouvernement de Ramirez Garrido. Elle avait ensuite rejoint un groupe féministe à l'intérieur de la CROM, organisation avec laquelle elle avait rompu quelques mois auparavant, se séparant du sinistre Morones. Elle était toujours très liée au Parti Socialiste du Sud-Est et avait en charge à la Chambre la coordination du groupe des députés du Yucatan.

La jeune femme entra dans le café en secouant la botte qu'elle venait de tremper dans la flaque de l'entrée, s'approcha de la table et engloutit son cognac comme si elle était pressée.

– Salut journaliste ! Qu'est ce que tu me veux ?

C'était une petite blonde, les traits bien marqués et la voix forte. Elle ne souriait presque jamais, et quand cela lui arrivait, il y avait de quoi s'inquiéter.

– Assieds-toi Elenita. J'ai besoin d'informations, dit le journaliste en se levant le temps que la petite blonde s'asseye.

– Ça, je le savais déjà, journaliste. Ce qui m'intéresse, c'est ce que tu peux me donner en échange.

– Je n'ai rien à te donner, Elena. Mets ça sur mon ardoise.

– Si toutes tes ardoises ressemblaient à celle que tu as avec moi, tu n'oserais plus sortir dans la rue.

– Que sais-tu du colonel Gómez ? Pourquoi est-il

commandant de la gendarmerie de Mexico alors qu'il est gonzaliste ?

– Gómez ? C'est à lui que tu fais tes dévotions ?

– La semaine dernière, on m'a tiré dessus et j'ai besoin de savoir si Gómez est derrière cette histoire.

– Pfff, tu t'es fait là un sale ennemi. Ce type est un serpent, même ses amis le trouvent antipathique. Tu le connais personnellement ?

– Une fois à Pachuca, il m'a fait fusiller. Mais je crois qu'on ne s'est jamais vus à moins de dix mètres.

– Et on t'a fusillé ?

– Bien sûr, répondit le journaliste en portant la main à sa poitrine, à l'endroit d'une autre cicatrice.

Elena rit et passa une main sur son front pour arranger les boucles blondes qui se défaisaient.

– On raconte qu'avant d'être militaire, il était contre-maître dans une mine américaine dans le Nord, du côté du Cohahuila. Il semble qu'il se soit réveillé un peu tard et c'est pour cela qu'avec Carranza, il n'est pas devenu général. On lui a toujours confié les sales boulots. Il a été homme de confiance de Pablo Gonzalez, trésorier-payeur de la division du Nord-Est. Chef militaire dans la zone pétrolière. Je ne me souviens pas s'il a participé à une bataille. Ça, tu devrais le demander à un militaire. Je sais qu'il était à Tampico en 1919 et qu'il a fait tirer sur les grévistes. Ça, c'est son domaine. Du boulot de tueur : commander les pelotons d'exécution. Au moment du coup d'Etat de Agua Prieta, il a pris le wagon des généraux insurgés. Il était sous les ordres de Pablo Gonzalez, son protecteur, mais il a senti le vent tourner et quand les troupes du Sonora sont entrées dans Mexico, il s'est rapproché de Benjamin Hill et a mis à sa disposition les garnisons de la Huastèque. On dit qu'il est devenu veuf à cette époque et que la mort de sa femme est suspecte. Il l'aurait fait fusiller pour qu'elle arrête de l'emmerder. C'est ce qui se dit. J'ignore si c'est une plaisanterie. C'est un silencieux, une ordure au regard aussi sale que ses pensées.

– Un véritable enfant de chœur, quoi ! dit le journaliste en riant.

– Ce type me donne la nausée. Une fois, il m'a invitée
à danser dans une soirée. Je n'ai tenu qu'une demi-
polka. Quand Obregón est devenu président, il cherchait
quelqu'un comme lui pour la gendarmerie de Mexico et
il l'a mis sous les ordres du général Cruz. Les deux font
la paire. Il y a quelques mois, un ami m'a raconté qu'il
faisait du trafic avec l'administration : des appels
d'offres truqués dans la fourniture de fourrage pour les
chevaux de l'armée dans la région de Mexico. Mais ça
n'est pas nouveau.

– Combien ça rapporte, une affaire comme ça ?

– Six ou sept mille pesos, net. Une fois arrosés les
cinq ou six autres qui trempent dans la combine. Ce que
je raconte te sert à quelque chose ?

– Gómez et le pétrole, Gómez et des bijoux, Zevada et
Gómez, deux colonels. Ces associations ne t'évoquent
rien ?

– Mon petit, tu m'en demandes trop. Il y a deux ans,
quand j'étais dans la police, j'avais plus d'informations.
Mais maintenant, je ne suis plus qu'une inoffensive
enseignante de province au service de ses concitoyens à
la chambre des députés.

– De province, d'accord, Elena. Mais inoffensive,
même ta mère ne le croirait pas. On m'a raconté que
l'autre jour dans un restaurant, tu as cassé d'un coup de
pied le tibia d'un avocat.

– L'imbécile venait de gifler sa femme en public.

– Tu n'aurais pas envie de te marier avec moi, ma
petite Elena ?

– Avec un journaliste, jamais !

– On ne pourra pas dire que je n'ai pas essayé, dit le
journaliste.

Il détourna les yeux vers la vitrine que fouettait une
pluie persistante. On pouvait lire, à l'envers, les mots
« Café Paris ».

33. Belles histoires du passé :
Marie dans le miroir

Je me regarde dans ce miroir brisé et je revois un autre miroir avec un cadre de bois blanc odorant. Je suis et je ne suis pas une autre. Mon corps me ment et me trompe. Mon corps m'oublie et se cache. Mais la mémoire du miroir, c'est comme si c'était la mémoire d'une autre. D'autres yeux qui me voient nue et admirent la couleur ivoire de ma peau et mes seins pointés vers le ciel, comme s'ils allaient tirer sur les oiseaux. Oiseaux de décoration pour les paravents chinois des maisons de l'exil.

Je me regarde dans le miroir et je pense que personne n'a envie d'être différent. Personne. Et encore moins d'appartenir à quelque chose que je n'ai jamais connu et que ce corps nu n'a jamais vécu. Comme Canton, Shangaï, Kangchow, Pékin. Rien que des mots de deux syllabes qui ont des règles mais pas de souvenirs.

Je me regarde dans ce nouveau miroir et je me souviens de l'autre, et de l'autre femme, et bien que je ne le veuille pas, je me souviens que dans ce miroir ne se reflète pas seulement un corps nu, mais un autre visage en plus de celui de la femme que je suis. Un visage qui regarde le corps comme s'il le possédait, et qui le possède. Propriétaire après paiement : une femme pour trois reconnaissances de dettes du vieillard ridé qui était mon père.

Je brise le miroir que j'ai devant moi ; mais je ne peux pas briser l'autre qui vibre mais reste intact dans mon imagination et mes souvenirs.

34. Jour de pluie et d'interrogations

Le poète et l'avocat s'étaient mis d'accord pour combiner enquête et affaires. Le poète avait accompagné l'avocat à la sixième chambre où il devait plaider contre un torero accusé d'avoir violé une danseuse de revue. L'homme de loi avait à son tour accompagné le poète dans les bureaux de la compagnie Peltzer pour que son ami touche son argent et se renseigne sur le lieutenant à la gâchette facile.

Entre-temps, ils s'étaient arrêtés à l'armurerie nationale, et, suivant le conseil donné un jour par Pancho Villa au petit poète, ils avaient enrichi leur arsenal. Ils avaient acheté deux fusils de chasse et des chevrotines et un Walter à répétition, un pistolet allemand.

La Packard glissait sans but dans San Juan de Letran sous la pluie.

– Le petit lieutenant s'appelle Estrada, dit le poète. Juan Carlos Estrada. C'est un client de Peltzer. Il achète des pneus pour les véhicules de la gendarmerie.

– Gómez...

– C'est ça. Et je pense qu'il y a aussi une affaire louche avec les pneus.

– Comment a-t-il expliqué son geste à Peltzer ?

– Il lui a raconté que je l'avais insulté.

– Caramba, poète, ça devient de plus en plus confus. Tu es sûr que tu ne l'avais jamais vu ? Tu ne lui aurais pas fait une petite saloperie ces dernières années à ce petit militaire, du genre tuer son père ou séduire sa sœur ?

– Merde ! Pour son père, je ne peux pas savoir. Mais je suis certain qu'aucune Estrada n'est passée par mon lit ou moi par le sien.

– Qu'est-ce qu'on fait maintenant ?

– On va s'occuper des bijoux. J'ai l'impression qu'il y a un bon filon à exploiter de ce côté-là.

Vitres fermées, la Packard s'emplit de buée et de la fumée des cigares que poète et avocat allumèrent, avant de stopper en silence devant le siège de l'*El Demócrata*, soulevant un rideau liquide.

La salle d'attente du bureau de Weiss Frères était munie d'une baie vitrée donnant sur la rue qui attira tout de suite les regards du poète et de l'avocat. Les carreaux cassés par le colonel Zevada dans sa chute avaient été changés et la pluie les frappait en douceur.

– L'époque n'est pas aux questions. C'est la Révolution qui veut ça. Qui rend les choses troubles, bizarres, étranges. Un bijou s'échange contre un billet de train. Le bijou est à son tour échangé contre trois chevaux et une valise. Un fils sauve les bijoux de sa mère de l'incendie de la maison ; un soldat les vole à un cadavre qui, lorsqu'il était encore en vie, les a volés à un autre mort. La servante d'une famille de l'ancien régime liquide les bijoux de ses maîtres. Tout est bizarre. Nous vivons des temps anormaux. Voilà dix ans que je n'exige ni factures ni reçus. J'achète, c'est tout. Je reconnais pour propriétaire la personne que j'ai en face. Je donne un reçu et je paie les choses ce qu'elles valent... ne soyez pas surpris. Rien n'est comme avant. Ce n'est même pas que les affaires soient illégales ou frauduleuses, c'est que nous vivons une drôle d'époque pour le commerce.

Le patron ridé de l'étrange bijouterie leur délivra son laïus d'une seule traite.

Le bureau, n'était-ce l'énorme coffre-fort *Stendhal et Cⁱᵉ* appuyé sur ses quatre pattes d'acier, aurait pu abriter n'importe quel autre commerce. Les murs étaient nus, le bureau en chêne verni au dessus abîmé était vide. Ni lunettes de bijoutier, ni étui en velours, ni pinces, ni loupes. Derrière la table, Weiss, un petit homme à cheveux blancs en bataille, leur souriait. Ils étaient restés debout car il n'y avait pas d'autre siège qu'une ridicule causeuse recouverte de velours rose adossée au mur opposé.

– Zevada ?

– Je ne l'avais jamais vu. C'est sans doute la première fois qu'il venait me proposer une opération.

– Le nom ne vous dit rien ?

– Rien. A leur seconde visite, les flics m'ont montré la photo d'un frère de ce colonel. Ça ne me disait rien non plus. Ils m'ont même montré des bijoux. C'est la première fois de ma vie que je les voyais.

– Et Margarita Roldán, la veuve du propriétaire de l'Imprimerie Industrielle ?

– Margarita Herrera, veuve Roldán, oui, elle je la connais.

– Vous lui achetez ou vous lui vendez ?

– Les deux. Mais elle m'a plus acheté que vendu. Rien d'extraordinaire. Un très beau saphir. Un diadème de perles russes pour les cheveux. Deux diamants bruts. Un collier de topazes. Sûrement pour faire des cadeaux. Rien d'extraordinaire. Vous faites erreur, Messieurs. Moi, mon seul lien avec cette histoire, c'est le carreau cassé que j'ai dû payer.

Ils garèrent l'auto devant la Banque de Londres et marchèrent sous la pluie en abritant leurs cigarettes sous leurs chapeaux. Executor avait insisté pour qu'ils se rendent du côté de la Cantina de l'Araignée, dans la rue Netzahualcóyotl, à deux pas du syndicat des boulangers. Sans voiture : une Packard blindée dans un endroit pareil, ça aurait pu être mal interprété.

Une fois à l'intérieur, le poète eut le loisir de mesurer la profonde expérience de son ami et sa remarquable popularité dans certains milieux de Mexico. Truands, putes, trafiquants d'alcool frelaté, pickpockets le saluaient avec affection ou, à tout le moins, respect. A défaut de musiciens, un piano mécanique reposait dans un coin de la salle. Les cris et la fumée étaient toute l'ambiance de l'établissement où l'on buvait aussi bien

147

de l'alcool à 90° mélangé à du jus de canne que de l'authentique cognac Napoléon.

Executor sacrifia au rituel d'aller embrasser la patronne, une horrible paralytique qui servait derrière le bar, tandis qu'il cherchait du regard son informateur.

Il régnait à l'Araignée une ambiance à la fois joyeuse, solennelle et sombre où l'arrivée de quelqu'un à la recherche d'informations ne passait pas inaperçue. Quand le poète et l'avocat eurent pris place à une table proche de la porte, un borgne en poncho s'assit avec eux.

– Alors, maître, on se rancarde ? Vous vendez ou vous achetez ?

– Gratuit, le borgne. Je cherche quelqu'un en deuil de deux amis. Après, on cause.

– Gratuit, des clous !

– Un échange, alors. Des informations en échange de mes futurs services. Pour une fois, tu auras le meilleur avocat de Mexico gratuit...

– Deux fois plutôt qu'une.

– D'accord, le borgne... Les morts s'appelaient Suarez et Tibon.

– Vous voulez un nom ou un visage, maître.

– Je préfère un visage, le borgne.

– Restez tranquille. Une demi-heure maxi. Je vous l'amène.

Sur ce, l'homme au poncho sortit d'un bon pas.

Les deux compères s'enfoncèrent dans leurs sièges, commandèrent une bouteille de gin, une carafe d'eau, trois citrons verts et se disposèrent à attendre. Au bout d'un quart d'heure, le borgne était de retour avec un personnage chétif et mouillé, vêtu d'un costume ruisselant de pluie, beaucoup trop large aux épaulettes. Il pouvait avoir une quarantaine d'années, les sourcils froncés en permanence, les cheveux noirs brillants tombant sur les yeux. Sa cravate noire et sale dansait sur sa chemise, effleurant la bosse du pistolet.

– Le Gitan, à votre service maître, dit le borgne en présentant son ami.

Il disparut dans le brouhaha.

Le nouveau venu posa sur la table, à côté de la bouteille de gin, un chapeau noir à larges bords, et tirant à lui une chaise s'assit, les bras croisés derrière le dossier.

– Qu'y a-t-il pour votre service, maître Executor ?

– Vous me connaissez ?

– Pas personnellement. Mais vous avez une fois défendu une de mes cousines.

– J'ai donc déjà travaillé pour la famille.

– Si vous voulez, dit le Gitan.

Après avoir d'un geste demandé la permission, il se servit du gin dans un des deux verres à eau.

– La semaine dernière, Suarez, Tibon et un troisième dont j'ignore le nom ont essayé de nous tuer, moi et trois de mes amis, alors qu'il n'y avait eu auparavant aucun conflit entre nous. Je suis sûr que quelqu'un les avait payés pour ça. Qui ?

Le regard du Gitan passa du poète à l'avocat. Puis, d'une voix très douce mais qui couvrait le bruit des tables voisines, il dit :

– Ce n'est pas à vous qu'ils en voulaient, maître. C'est au journaliste. Vous n'étiez pas visé.

– Comment le savez-vous ?

– Qu'est-ce que ça peut faire ? C'est peut-être moi qui ai monté l'affaire. Peut-être que le mort anonyme était un autre de mes cousins. Qu'est-ce que ça peut faire ? Vous savez quel est le prix d'un mort dans cette ville ? A Guadalajara ou à Puebla, c'est moins cher. Mais ici, un mort dans votre genre, c'est-à-dire, sans vouloir vous offenser, un mort sans importance, vaut environ trois cents pesos. Si vous mettez six cents pesos sur la table, je me charge de celui qui a engagé Suarez et Tibon. D'ailleurs, cela me ferait même plaisir parce qu'il ne les avait pas prévenus que leurs cibles aussi savaient tirer. Ils étaient partis chasser le lapin et ils sont tombés sur des Apaches.

– Pourquoi six cents, l'ami ? demanda le poète en souriant.

– Parce que celui qui a passé le contrat n'est ni un rien du tout, ni un imbécile. Lui aussi sait tirer. Ou bien disons que les prix ont augmenté.

– Je vous donne six cents contre son nom, lança Executor.

Le Gitan réfléchit un moment. Puis, regardant autour de lui :

– Six cents et une promesse, maître.

– Si elle est tenable.

– Ne le ratez pas. Parce que si vous le ratez, je ne pourrai pas dépenser l'argent en paix.

Executor et le poète se regardèrent. L'avocat sortit son portefeuille et compta six billets de cent de la liasse restante de la loterie.

– Nous vous écoutons.

– Merde ! Si les tarifs de Zacatecas ou San Luis Potosi n'étaient pas si bas, je serais déjà là-bas.

Executor prit les billets, les plia et les fit glisser sur la table jusqu'à la main du Gitan.

– Pas la peine de les cacher, maître. Ici, il y a plus d'yeux que dans un cinéma. Et plus d'un a déjà entendu sans entendre.

Le Gitan se servit un autre verre de gin, le vida d'un trait et dit :

– Celui dont vous avez envie de connaître le visage est le colonel Martinez Fierro.

35. Le blues du travailleur

Après avoir observé la Vierge aux voiles lilas et jaunes, Manterola fixa le jeune homme de dix-neuf ans et se dit qu'il n'était pas devenu fou. Comment expliquer aux lecteurs de son journal le génie qui irradiait de ce garçon en cravate, le regard sombre, le teint pâle, les lèvres épaisses et les sourcils interrogateurs, dont toute la force semblait concentrée dans les yeux noirs ?

– Monsieur Revueltas ?

– Appelez-moi, Fermin, journaliste.

– Pourquoi un athée comme vous peint-il la Vierge de la Guadalupe ?

– Est-ce bien une Vierge ? Vous ne voyez pas les couleurs ? Elle n'est peut-être pas vierge. Mexicaine, ça oui. N'est-ce pas ? En habits de fête, elle, et ceux qui l'adorent : le peuple. Excusez-moi, mais j'ai du mal à trouver mes mots.

– Vous vous expliquez très bien, mais je ne sais pas si je pourrais le dire aussi clairement aux lecteurs. Au fond, je suis un journaliste de terrain. Je sais raconter des bagarres, des fusillades et des crimes passionnels. Je ne suis pas venu pour parler de peinture murale.

– Vous aimez les Vierges du Tintoret, les femmes ailées de Botticelli ? Que penseriez-vous si nous mettions la Tour Eiffel dans le Parc de l'Alameda ?

– Diego Rivera est bien en train de peindre *la Création* dans l'amphithéâtre ?

– Regardez les cuisses de ses personnages, ne vous laissez pas avoir par le titre. *Tous les chemins mènent à Rome*. Le mien, c'est la couleur. Je le sens.

– Vous avez étudié la peinture à Chicago ?

– Pour ce que ça m'a servi... répondit le jeune homme

en contemplant sa Vierge de Guadalupe aux couleurs éclatantes que le Ministère de l'Education devait lui payer quatre cents pesos une fois la fresque terminée.

– C'est vrai qu'il y a eu des coups de feu dans les couloirs ?

– On s'est plus insulté que tiré dessus. Les étudiants protestent parce que nous recouvrons leurs murs d'idées. Ils peignent par-dessus les fresques. Ils y collent des chewing-gums, du papier mouillé, et il nous arrive d'échanger un peu plus que des mots. Elle vous plaît ? demanda le peintre en désignant la Vierge.

– Beaucoup, répondit le journaliste qui, quoi qu'il en dise, n'était pas seulement sensible aux nouvelles sanglantes en général mais à tout acte de passion en particulier.

Manterola s'éloigna, laissant le jeune peintre travailler à sa Vierge sur son échafaudage blindé, recouvert de planches qui le protégeaient des agressions des étudiants. En arpentant les couloirs de l'Ecole Préparatoire, il aperçut le Français Charlot en train de travailler à des cavaliers espagnols qui avaient l'air de monstres métalliques combattant les Aztèques. Ce jour-là, Diego Rivera n'était pas sur les échafaudages. Des peines de cœur, des douleurs d'estomac et un mal au dos l'avaient cloué chez lui pour la journée. A son retour, il vit Revueltas qui, armé d'une énorme brosse pleine de peinture jaune, affrontait deux étudiants aux allures de dandys quelque peu efféminés.

– Si vous n'êtes pas contents, vous n'avez qu'à vous regarder le cul, Messieurs ! disait le peintre.

– Au lieu de peindre des cochonneries, ils feraient mieux de tout laisser en blanc. Cela correspond mieux à l'atmosphère qui convient à un lieu d'études, disait un des étudiants à l'autre.

Le journaliste reconnut un certain Novo qui apportait de temps à autre au journal des vers bien tournés.

– Vous avez besoin d'aide, peintre ?

– Le pinceau me suffit, journaliste ! Revenez donc un

152

jour quand il fera nuit, on ira se boire un verre.

– Vous avez déjà blessé un étudiant ?

– Je m'en suis déjà payé trois. Rien de grave. Avec ces deux gominés, cela va faire cinq, répondit le peintre en avançant.

Il avait à ses côtés un petit aide de seize ans au plus, un brun qui, à défaut de brosse dégoulinante de peinture, tenait une spatule. Le journaliste eut un sourire.

36. Un enlèvement, une libération

Les militants du groupe Fraternidad étaient peu nombreux mais le petit logement de Thomas suffisait à peine à les recevoir.

Pas moyen d'arpenter la pièce en parlant : une fois installé sur le lit et les chaises, chacun devait rester dans son coin jusqu'à la fin de la réunion.

Le groupe n'avait pas de règles. Aucun groupe informel n'avait de règles. Ils se retrouvaient au gré des sympathies et des coïncidences, et agissaient au sein du mouvement après s'être mis d'accord au cours de réunions marathons. Il y avait des groupes de toutes sortes : prosélytes de l'amour libre, propagateurs de l'éducation rationnelle, défenseurs de l'action directe et violente, diffuseurs des classiques de la littérature anarchiste, animateurs de débats.

Le groupe Fraternidad était composé de six membres qui ne faisaient pas de prosélytisme. L'adhésion était libre. On pouvait le quitter à tout moment, par désaccord, ennui ou parce qu'on partait en voyage. Les préoccupations principales tournaient autour de la propagation du syndicalisme révolutionnaire. Le groupe publiait une feuille épisodique et diffusait les publications de la CGT dans la zone Sud. Des paquets de *Nos Idéaux* et *Solidaridad* passaient entre leurs mains. Ils les distribuaient et encaissaient l'argent.

Mais le groupe présentait une autre caractéristique. Il était formé d'hommes que les milieux syndicalistes appelaient "d'action". Ils étaient appelés à faire le coup de feu dans les affrontements avec les gendarmes ou les *pistoleros* de la CROM.

Varela le natif de Veracruz, Martinez le boiteux,

Hidalgo le pâtissier originaire de Badajoz en Espagne, le négro Hector, seize ans, qui venait du Tabasco, Bourdillon, enfant illégitime d'un contremaître français de l'Atelier mécanique Santa Teresa, ou Wong, croyaient à la violence de masse, nécessaire pour se défendre pendant les périodes de mobilisation (meetings, manifestations ou grèves). Une violence nécessaire pour protéger les luttes et s'opposer à la violence du système. Ils avaient déjà discuté de la question de la violence individuelle, avec une intensité accrue au milieu de l'année 1920, lorsque des bombes avaient été déposées à l'Evêché et au Recuerdo, une fabrique de bijoux fantaisie. Le groupe avait clairement exprimé que ces bombes ne servaient pas le progrès des idées et de l'organisation anarcho-syndicaliste. Les secteurs les plus modérés risquaient de s'éloigner d'un mouvement de masse en plein essor qui, quelques mois plus tard, allait donner naissance à la CGT.

C'est pourquoi Thomas considérait avec réserve la présence de San Vicente et de son ami le Gaucher qui venait d'arriver de Puebla pour la réunion.

– Thomas, mon pote, tu me connais, je ne suis pas fou, dit San Vicente sans perdre de temps. Je ne suis pas pour l'action individuelle. Je ne crois pas au volontarisme. Je suis contre les attentats comme forme essentielle de lutte. Je suis un organisateur syndical et je l'ai toujours prouvé. Mais je sais que nous avons besoin d'un journal quotidien. Pour ça, il faut pouvoir payer un salaire aux journalistes, disposer de notre propre imprimerie. Que s'est-il passé en 21 pendant la grève des chemins de fer ? Les imprimeries nous ont fermé leurs portes. Et à Atlixco au début de l'année ? Au moment où nous avions le plus besoin de propagande, nous n'en avions pas les moyens. Montre le papier, le Gaucher.

Le Gaucher sortit avec précaution un papier plié en quatre et commença à lire d'une voix mécanique :

« Projet de journal. Budget pour deux ans. Salaires

155

pour trois rédacteurs, un typographe, un caissier, un ouvrier imprimeur, deux empaqueteurs, un administrateur : 19 600 pesos.

Imprimerie – deux Linotype allemandes de marque Stein, d'occasion, linteaux, papier, plomb, encre, machines à écrire, meubles, téléphone : 182 000 pesos.

Frais d'acheminement pour deux ans : 11 000 pesos.

Tirage approximatif : 5 000 par jour pour commencer, 20 000 pour finir. Un supplément par mois. Une édition spéciale hebdomadaire, comme celle que publie *La Protesta* en Argentine.

Local pour le journal (le sous-sol d'un local syndical, l'étage sera utilisable pour des réunions) : moins de 5 000 pesos.

Total : 218 000 pesos, en faisant grâce des centavos. »

San Vicente regarda les yeux brillants de ses camarades.

– D'où veux-tu sortir l'argent, San Vicente et comment expliqueras-tu son origine ? demanda Bourdillon.

– L'héritage d'un millionnaire turc, destiné à un camarade fictif qui en aura fait don à l'organisation. On monte une petite pièce de théâtre, mais bien faite.

– D'où, San Vicente ? insista Thomas.

– Gaucher, sors le papier, répondit-il en souriant avant d'allumer une cigarette sans filtre.

Le Gaucher sortit un nouveau papier de sa veste rapiécée et lut :

« Train postal de Puebla, stoppé à Apizaco, à la hauteur du kilomètre 11 : trois hommes pour l'action, un autre à la gare d'Apizaco, un chauffeur, un pour les chevaux. Total : six camarades. Butin estimé : entre 18 600 et 21 000 pesos.

Convoyeur de Asarco à Aguascalientes ; le vendredi, il est accompagné de deux gardes du corps de l'entreprise. Quatre hommes pour l'action, plus un chauffeur. Butin estimé : entre 19 000 et 23 000 pesos, cela dépend si c'est jour de paie ou pas.

Recette centrale des postes et télégraphes de Mexico... »

– Suffit, l'ami. Il y en a encore combien comme ça ?

– Neuf, dit le Gaucher très sérieusement. J'ai un autre papier qui décrit chaque opération en détail. En deux mois, on se fait tout. Rien que des endroits différents. Ni morts, ni blessés. Du travail propre. N'est-ce pas, San Vicente ?

– Bien sûr que oui. Tuer un convoyeur ou un badaud ne m'intéresse pas. On espère toujours qu'il n'y aura pas de bavures.

– Mais si par hasard on nous arrête ou si ça tourne mal, qu'ils rendent l'organisation responsable des attaques, c'est exactement ce qu'attend le gouvernement d'Obregón pour dissoudre la CGT et couler le mouvement.

– Le risque existe. Je ne raconte d'histoires à personne. Moi aussi, j'y ai pensé, dit San Vicente en arrêtant de sourire.

– Je n'aime pas ça, dit Thomas en se prenant la tête dans les mains. Pas du tout. Ce joul'nal, ce sel'ait comme un cadeau fait aux lecteul's. Pas le l'ésultat d'un effol't. Je n'ai pas peul' de la violence. Tl'ain postal ou convoyeul', je ne cl'ois pas que cet al'gent leul' appal'tienne plus qu'à nous. Ils l'ont volé. Ce n'est pas ça qui m'inquiète.

– Moi non plus, je n'aime pas ça, dit le négro Hector.

– Et moi non plus, répéta Martinez.

– Pour moi, ce n'est pas si clair. On voit que cela a été bien conçu, intervint Hidalgo.

– Moi, je suis d'accord avec le camarade, affirma l'homme de Veracruz en montrant San Vicente.

– Si la majorité est contre, tu respecteras la décision ? demanda le Français à San Vicente.

– Si la majorité est pour, on le fait tous ensemble ?

– Nous sommes huit. Nous l'espectel'ons la décision de la majol'ité. Donnons-nous une semaine poul' l'éfléchil'.

Tout le monde approuva le Chinois. Le reste fut pure routine : organisation d'une distribution de journaux autour de l'Abeille – toujours en grève – où pullulaient les *pistoleros* de la CROM.

La réunion prit fin comme elle avait commencé : sans aucun rituel.

– Je ne veux pas te vexer en en rajoutant pour te convaincre, dit San Vicente. J'ai dit ce que j'avais à dire. On fait un peu de ménage ? Au fait, tu as demandé à ta compagne de sortir pendant la réunion ?

– Je lui ai demandé de sol'ti'. Elle est allée au ciné. Mais elle devl'ait êtl'e déjà de l'etoul', répondit Thomas en vidant dans une poubelle une assiette pleine de mégots.

San Vicente s'étendit sur le lit avec un soupir.

– Je crois que j'ai trouvé du boulot. A la Providence. J'ai dit que je m'appelais Arturo Reyes. Il vaudrait mieux que les camarades commencent à m'appeler Arturo. Il ne faudrait pas que quelqu'un vende la mèche.

Thomas approuva, tandis qu'il rangeait une cruche d'eau.

– Ils l'ont enlevée, Thomas, ils l'ont enlevée ! cria un môme qui entra en courant, faisant trembler la porte sur ses gonds.

– Ils ont enlevé qui ? demanda San Vicente.

– La Chinoise ! La Chinoise de Thomas ! Ils l'ont enlevée !

– Comment ? Qui ? interrogea Thomas, la mine défaite.

– A la sortie du cinéma. Ils l'ont poussée dans une voiture. Ils étaient deux, plus le chauffeur. Une voiture blanche avec des rayures et un toit en bois. Elle me tenait par la main. Elle m'avait invité au ciné. Il y en a un qui m'a donné un coup de pied pour que je la lâche mais je m'accrochais. Je lui ai même déchiré sa robe.

– Mel'de ! cria le Chinois.

– C'étaient des Chinois, Thomas ! Des Chinois comme toi, mais des méchants.

San Vicente ouvrit le troisième tiroir de la commode, qu'on lui avait laissé pour qu'il range ses affaires et sortit un revolver calibre 38. Il vérifia qu'il était chargé et demanda au Chinois :

– Tu sais où ils l'ont emmenée, n'est-ce pas ?

– Mel'de ! répéta Thomas en ouvrant un autre tiroir pour y chercher son cran d'arrêt.

C'était un samedi après-midi et, suivant la coutume, les bonnes se promenaient au bras des militaires dans les rues de la colonia San Rafael. Devant la résidence de la veuve Roldán, les couples étaient particulièrement nombreux. Assis dans la Packard, garée à une vingtaine de mètres de l'entrée, le poète et l'avocat montaient la garde.

– Redis-moi les vers sur le tramway, demanda l'avocat au poète.

– Je te les échange contre ta traduction du poème de Verlaine.

– Je ne suis qu'un amateur mais tu as raison, ce Maples Arce est le poète de notre temps.

« La ville insurgée aux annonces lumineuses
Flotte dans les almanachs
Soir après soir là-bas
Dans la rue repassée un tramway saigne »,

récita le poète d'une voix douce, sans déclamer.

« Nous allions dans la nuit au hasard de nos pas
Infâmes et assassins
Veufs, orphelins, sans toit ni enfant ni lendemain
A la lumière des forêts incendiées » [1]

répondit Executor, révélant à son compagnon de surprenants talents, conséquence de ses années de solitude.

Ils avaient passé l'après-midi ainsi, interrompus seulement par les allées et venues dans l'hôtel particulier.

1. Nous précisons que ces vers sont cités "de mémoire" par Executor. (N. d. E.)

Vers cinq heures et quart, la veuve était arrivée en compagnie de Conchita. Executor qui était au volant dut se ratatiner sur son siège pour ne pas être vu. Une heure et demie plus tard, l'Espagnol sortit, conduisant une Ford bringuebalante. Pendant son absence, Céleste l'hypnotiseuse, vêtue d'une robe longue, quitta la maison dans un taxi sans doute commandé par téléphone. Puis, rien.

La maison était une construction de pierre grise, sans style. Un portail en fer, permettant l'accès aux voitures, donnait sur un grand jardin, d'implantation récente.

Un double escalier monumental bordé d'une balustrade de granit rose surmontée de bacs de géraniums menait à la porte d'entrée. Depuis la rue, à travers les grilles, on pouvait voir les vitraux éclairés du grand salon.

C'est le poète qui avait eu l'idée de ces heures de garde.

Manterola n'était pas à son journal et il n'avait pu joindre Thomas, à qui il voulait raconter l'étrange irruption du colonel Martinez Fierro dans l'histoire. Avant de possibles retrouvailles au bar du Majestic, le poète avait trouvé ce moyen de passer le temps. Il avait dû insister pour emmener l'avocat qui voulait passer chez lui se changer et préparer un dossier pour une audience prévue le lundi suivant.

Le poète ne se faisait guère d'illusions sur l'utilité de cette surveillance. Mais la vie réserve toujours des surprises.

– Revoilà la Ford avec l'Espagnol, dit le poète, tirant Executor de sa somnolence et l'obligeant à regarder dans le rétroviseur.

L'Espagnol klaxonna trois fois et le portail s'ouvrit. Ramón descendit de la voiture et se dirigea vers l'entrée. Le poète eut l'intuition qu'un événement inattendu allait se produire lorsque Ramón lança à deux reprises des coups d'œil prudents vers la rue. Le Français, vêtu d'un costume gris et d'un haut-de-forme apparut à la porte du garage. Il traînait derrière lui un homme qui se débattait. Ramón s'approcha pour l'aider.

– Mais, qu'est-ce que tu fais ? s'exclama le poète.

– Prends le fusil ! lui cria l'avocat en ouvrant la portière de la Packard.

Le poète, moins rapide que son ami, perdit quelques secondes à mettre ses lunettes qui étaient rangées dans la poche de son gilet. Il prit le fusil derrière le siège et se mit à courir tout en le chargeant.

– Les mains en l'air, espèces de clowns ! cria Executor.

Les deux autres, surpris, lâchèrent l'homme qu'ils traînaient vers la voiture. Il était en piteux état : le visage en sang, tout écorché, la chemise en guenilles et ensanglantée, le pantalon déchiré. Il essayait de se mettre debout en s'agrippant au pli du pantalon de Ramón.

– Vous n'avez pas le droit ! lança l'Espagnol.

– Et ce que vous avez fait à ce pauvre type, vous en aviez le droit ? répondit le poète en pointant son fusil dans le dos du Français pour stopper le mouvement de sa main vers sa guêtre gauche.

Le poète pouvait être un peu lent de réflexe mais il avait bonne mémoire.

– *Qu'est-ce qui se passe ?* demanda le Français pour dire quelque chose.

Executor s'approcha de l'homme aux yeux exorbités qui, par automatisme, essayait toujours de se redresser. Avec une force insoupçonnée, il le chargea sur ses épaules.

– Faites vos prières, Messieurs, nous allons vous trouer la peau ! cria l'avocat qui tenait son fusil d'une main et menaçait les deux hommes à tour de rôle.

– Je sais qui vous êtes ! fit l'Espagnol.

– Tu ne sais rien ! Même pas où mettre ta queue ! répliqua Executor.

Le poète, qui contrôlait calmement la situation, jetant de temps un temps un petit coup d'œil de précaution vers la maison, éclata de rire.

Une servante qui sortait d'une maison voisine pour promener le chien regarda la scène d'un air hébété. Le poète et l'avocat, qui portait sur son dos comme un paquet l'homme qu'ils venaient de libérer, arrivèrent à la Packard. Executor mit le moteur en marche. Debout sur le marchepied et tenant d'une main la portière, le poète lança :

– Démarrez, cher maître, j'ai toujours rêvé de jouer dans un film de gangsters !

Quand la voiture, dans un crissement de pneus, quitta le bord du trottoir, le poète, accroché à l'extérieur, déchargea son fusil à quelques mètres de leurs ennemis abasourdis, faisant voler en éclats un des bacs à géraniums.

– Vive Pancho Villa, espèces de pédés ! leur cria-t-il, débordant de joie, en guise d'adieu.

Au même instant, le Chinois et son ami San Vicente descendaient d'un taxi près du parc de l'Alameda et se dirigeaient à pied vers le quartier chinois.

A cette heure de l'après-midi où les premières ombres grignotaient la lumière, le quartier se transfigurait. Les commerces et les restaurants, normalement ouverts à tous, commençaient à changer de clientèle. La population d'origine chinoise s'appropriait les rues. L'opium, caché pendant le jour dans des salons élégants ou dans des bouges, sortait timidement dans la rue. Mendiants, pères de famille ou amoureux éperdus se transformaient en consommateurs. Des épaves humaines s'écroulaient dans la rue et les gens les enjambaient sans y faire attention. La pluie des derniers jours avait rendu boueux le sol empierré de l'impasse mal éclairée. Thomas échappa à un vendeur ambulant de plantes médicinales qui le poursuivait avec un plateau en bois plein d'échantillons. Il s'arrêta devant le restaurant Le Canard de Pékin. Son visage et celui de San Vicente, qui le suivait comme son ombre, furent illuminés à deux reprises quand la porte battante s'ouvrit. Thomas réfléchissait.

– Qu'est-ce qu'on attend ? interrogea San Vicente.

– On y est. C'est de là qu'elle est sortie. Ou de la maison d'à côté.

Pendant le trajet, Thomas s'était efforcé de ne pas penser à ses relations avec la jeune fille. Il ne voulait pas que ses émotions brouillent ses pensées. Il savait peu de choses sur elle. Marie avait été vendue, en paiement de dettes de jeu de son père, qui tenait une blanchisserie dans la rue Lopez, à un Chinois propriétaire d'un restaurant. La jeune fille s'était enfuie la semaine précédente, profitant de l'irruption de la police dans le casino clandestin.

Il se décida enfin et poussa les rideaux de perles.

– Je veux pal'er au patl'on ! dit-il à un garçon chinois en veste blanche.

– Ta'i Lu, répondit le Chinois, l'informant du nom de son patron.

– Je ne pal'e pas chinois, camal'ade, répondit Thomas.

Le garçon le regarda fixement et lui indiqua un box tout au fond du restaurant.

Deux couples étaient en train de manger et deux occidentaux buvaient du thé en parlant affaires avec un Chinois, près d'un comptoir laqué de rouge. A cette heure, l'endroit était plutôt désolé. San Vicente, après avoir observé attentivement la porte de derrière, par laquelle le garçon s'était éclipsé, alluma une cigarette et se prépara à attendre. Thomas se sentait aussi étranger en ces lieux que son compagnon. Au fond, il était chinois par accident.

Le garçon revint :

– Veuillez me suivre.

Thomas remarqua qu'il prononçait les r correctement. Une lanterne à la main, le garçon les conduisit à travers des couloirs obscurs et très étroits. Ils traversèrent l'arrière-cuisine, une remise pour les graines et les légumes, un couloir encombré de tableaux et de tapis, un poulailler avec des canards et des poules, des pièces pleines de caisses.

C'était un parcours sans but apparent, qui allait à droite, à gauche, revenait en arrière. Au bout de cinq cents mètres au moins, le garçon ouvrit une porte, à l'extrémité de ce labyrinthe, et s'écarta pour laisser passer Thomas et San Vicente. Les deux amis se retrouvèrent dans une grande pièce déserte. Elle était décorée comme un théâtre de variétés. Un grand fauteuil de bambou entouré de crachoirs de bronze y trônait. La porte se referma derrière eux.

– Merde, qu'est-ce que c'est que cette histoire ? demanda San Vicente en marchant jusqu'au centre de la pièce.

– Je n'en sais l'ien, répondit Thomas en s'approchant.

C'est alors que le sol s'ouvrit sous leurs pieds.

37. Recherche dans les chaussettes

Tout au long de ses années comme journaliste de faits divers, Manterola s'était forgé une opinion très précise sur les limites et les pouvoirs de la police issue de la Révolution. Cette opinion pouvait se résumer ainsi : elle ne servait à rien. Seul le hasard lui permettait d'élucider un crime. Ses contacts avec la pègre de Mexico étaient si étroits et si nombreux que l'imprécise frontière entre les deux mondes était comme une vaste région où policiers et délinquants cohabitaient, se livrant aux mêmes occupations.

Si la police ne valait rien, il n'en allait pas de même pour la pègre. Depuis 1916, la Révolution une fois apaisée dans la capitale, elle s'était considérablement sophistiquée. D'un côté, la guerre mondiale avait vu débarquer au Mexique un bon paquet de spécialistes qui essayaient de se défiler. D'autre part, les marées et le chaos provoqués par toutes les révolutions avaient fait remonter à la surface l'argent liquide, les actions au porteur, les bijoux facilement convertibles, l'or et l'argent. Tout cela à portée des convoitises de mains toujours promptes à s'approprier le bien d'autrui. Autour des adeptes de la violence – kidnappeurs, gangsters, assassins – on trouvait, comme un matelas de protection, tout un monde de petits escrocs, voleurs, pickpockets, aventuriers, profiteurs, jeunes malfrats, souteneurs, prostituées, charlatans de tous poils. La sophistication ne s'appliquait pas seulement aux compétences mais aussi aux surnoms et aux noms des bandes ; la Tenaille, la Légion Assassine, la Marque Rouge, Casquette Foncée, le Français aux Doigts de Soie, le Tire-Merde, l'Apache, Won-Li, Doigts de Fée...

Le journaliste avait sa part de responsabilités, ainsi que son collègue de l'*El Heraldo de Mexico*, dans cette sophistication. Par la grâce de leur style et de leurs trouvailles, un salopard comme Ranulfo Torres était devenu "l'Invisible" et Maria Juarez, une prostituée qui visait mal, "La Mordeuse fatale".

La ville n'avait jamais connu pareil monde souterrain, grouillant de parias aux activités non répertoriées ; jamais elle n'avait baigné dans un tel cloaque.

Manterola avait, ce jour-là, décidé de s'occuper des bijoux trouvés dans la poche du sergent Zevada. Il n'avait que l'embarras du choix. Il commença par relire toutes les coupures de son propre journal, de l'*El Heraldo* et d'*Excelsior* qu'il conservait dans le tiroir de son bureau depuis trois ans. Le mot clé était "bijou". Avec un peu de patience, il déterra en une demi-heure six ou sept histoires conservées dans une des trois reliures cartonnées. Mais à cette heure matinale, le journal était trop silencieux et il finit par demander au rédacteur en chef la permission de prendre sa journée pour travailler à une enquête. Il porta sa lecture ailleurs.

Deux minutes après son départ du bureau, le téléphone sonna et quelqu'un demanda à lui parler.

– Alors ? demanda le poète.

– Il vient de sortir, répondit l'avocat.

Ils avaient passé la nuit à l'hôpital de la Croix-Rouge. Les médecins de garde s'étaient occupés de l'homme qu'ils venaient de libérer. Mais toute la science des médecins n'avait servi qu'à rafistoler tant bien que mal l'aspect extérieur du patient. On leur prodigua aussi un conseil : « Il est en état de choc. Ne vous en faites pas. Il risque de dire beaucoup de bêtises sans importance. Pendant deux jours au moins. Il a besoin de repos. Donnez-lui à boire du bouillon, des potages. Ramenez-le-moi ensuite. S'il surmonte l'état de choc, je vous le remets à neuf. »

Leur blessé enveloppé dans une couverture anglaise,

sur le siège arrière de la Packard, ils tournaient dans Mexico.

Avant d'arriver à l'appartement d'Executor pour se reposer et attendre l'heure où le journaliste arrivait à son bureau, ils étaient passés par la onzième chambre. L'avocat avait plaidé contre un footballeur de second plan qui avait cru que ses talents de joueur – faibles selon le poète – le mettaient au-dessus des lois. Il avait essayé de séduire, avec un luxe de violence, une jeune danseuse du cabaret l'Eden, nommée Iris. Magdalena de son vrai nom, originaire de Puebla.

Ils déposèrent le blessé sur le lit. L'avocat se laissa tomber dans son fauteuil. Le poète s'étendit par terre, son fusil neuf à ses côtés.

– Le Français ressemble au type qui accompagnait l'officier qui m'a tiré dessus.

– C'est sûrement le même, répondit Executor en luttant contre l'envie de bâiller.

– Tu t'es rendu compte que ton fusil n'était pas chargé ?

– Putain, oui. Mon père avait bien raison de me traiter d'irresponsable, fit l'avocat en souriant.

– Voilà qui confirme ma théorie : tout est dans le style, conclut le poète avant d'allumer une cigarette. Il faudrait fouiller ce type. Il a peut-être quelque chose sur lui.

Executor se leva nonchalamment de son fauteuil.

– Voyons voir... rien dans les poches du pantalon... rien dans le gilet. Regarde ça : un reçu de l'hôtel Regis.

– C'est le Hollandais !

– Van Horn... Rien dans la poche gauche de la veste. Une carte postale de Toluca, sans rien d'écrit dessus. Une photo nue de ma copine Inés Torres, la danseuse.

– Fais voir.

– Si tu veux un autographe en prime, je peux te l'avoir pour le même prix.

– Non merci. C'est pure curiosité. Cherche dans les chaussettes. Les Européens sont naïfs. Et un responsable du *Foreign Office* a dû leur affirmer qu'il n'y a pas meilleur endroit que les chaussettes pour dissimuler quelque chose quand on voyage au Mexique.

– Je vais suivre le conseil. Caramba, tu as raison !

– Je te l'avais dit.

– Un reçu avec un numéro de coffre personnel à la Banque de Londres.

– Fais voir.

L'avocat fit passer le petit carton vert à son ami le poète.

Il s'en saisit et, sortant un bout de crayon de sa poche, il commença à écrire au dos un poème sur les chaussettes.

– Je sors acheter des cigarettes, prévint l'avocat. Si quelqu'un tente de franchir cette porte sans avoir frappé trois fois, tire en visant haut. Des fois que cela serait une amie venue me rendre visite.

– A tes ordres, dit le poète en rechargeant son fusil et en s'asseyant dans le fauteuil.

Executor se dirigea vers la porte d'un pas traînant. Il redressa son chapeau gris perle et sortit dans la rue.

Le journaliste avait toujours rêvé d'être plus ordonné. C'est, pensa-t-il, le moment ou jamais. Il avait classé les histoires, dressé une liste des bijoux avec leur signalement. Il avait noté le nom des bandes auxquelles étaient attribués les hold-up, fraudes, cambriolages et autres vols. Les suspects et les coupables, libres ou en prison. Il rayait de sa liste les bijoux retrouvés. Il avait même retrouvé le nom de deux revendeurs. Mais, si les informations étaient exactes, tous deux étaient à l'ombre.

Ce bilan commençait à le rendre nerveux. Trop de bijoux, trop de petites vieilles torturées pour qu'elles avouent la cachette de la fortune familiale, trop de militaires impliqués dans des vols dont le produit brillait à la lumière des lustres au cou ou aux oreilles de leurs protégées. Certaines des histoires qu'il lisait lui évoquaient des souvenirs personnels. La couleur des tapis, les yeux exorbités de la femme étranglée, la voix balbutiante du petit revendeur, le froid de la nuit dans le garage où gisait le couple de suicidés. Le bilan le rendait nerveux parce que c'était aussi le sien propre durant ces dernières années.

Pourquoi diable as-tu choisi les faits divers ? se demandait-il. Parce que c'est là qu'on trouve la véritable littérature de la vie, se répondait-il, sincèrement convaincu.

De temps à autre, la musique du manège s'interrompait et le journaliste levait la tête de ses dossiers cartonnés aux bords renforcés de pièces de laiton.

La matinée tirait à sa fin.

38. Explosion reconversion,
ex-maçon sans érection

Le jour qui filtrait par les persiennes entrouvertes baissait d'intensité. Le poète avait ôté ses bottes. Juché sur le fauteuil comme un chat, il surveillait alternativement le blessé et la porte par laquelle six heures plus tôt était sorti son ami l'avocat. Il avait faim mais il n'y avait dans l'appartement rien à se mettre sous la dent et il n'osait pas sortir pour manger.

A plusieurs reprises, il avait abandonné son poste pour observer par la fenêtre si l'avocat était en vue. Mais il n'avait aperçu qu'un vieux joueur d'orgue de Barbarie entouré d'enfants et deux maçons qui sortaient d'un chantier voisin. Par moments, le blessé bredouillait quelques mots. Le poète qui, quand il était soldat révolutionnaire, avait fait quelques incursions aux Etats-Unis pour s'y ravitailler en nourriture ou en armes, savait suffisamment d'anglais pour noter ces balbutiements. Résultat, un méli-mélo de phrases sans suite en anglais et en hollandais et des bouts de poèmes, le tout retranscrit au dos d'une partition. L'avocat était-il musicien ? En tout cas, même s'il n'avait chez lui ni piano ni guitare, ni même un pipeau, Executor avait jeté sur une feuille de papier à musique les notes d'un boléro intitulé *Carmen.*

Alors qu'il sortait de la salle de bains où il venait de remplir un verre d'eau pour donner à boire au Hollandais, on frappa un léger coup à la porte. Le poète laissa tomber le verre sur le tapis et saisit prestement son fusil de chasse ; au moment de l'armer, il cria pour couvrir le bruit :

– Qui est là ?

– Le laitier ! lança une voix masculine qui n'eut pas le temps d'en dire plus.

Le poète tira deux fois. Il suivit le conseil du maître de maison et visa haut – du moins compte tenu de sa propre taille. Il était tout à fait convaincu qu'aucun laitier n'avait jamais fréquenté l'appartement. La décharge de chevrotines fit dans la porte un trou d'une quarantaine de centimètres de large. Il tira des cartouches de la poche de son gilet, rechargea et se dirigea vers l'entrée en essayant de ne pas se trouver dans la ligne de mire. De la fumée s'échappait du trou de la porte. Il saisit la poignée de la main gauche, s'agenouilla et ouvrit avec précaution. Sur le sol, devant lui, gisait un corps ensanglanté. Il n'eut pas le temps de l'observer, car quelqu'un, embusqué sur le palier, tira coup sur coup trois balles de pistolet qui passèrent à quelques centimètres de sa tête. Il fit feu dans la direction des détonations puis, sans prendre le temps de recharger le fusil, sortit son Colt. Il enjamba le cadavre et descendit l'escalier en hurlant et tirant. Entre le second et le premier palier, il trébucha contre un autre corps recroquevillé et dévala six ou sept marches, se cognant contre la porte d'un cabinet dentaire installé à l'étage au dessous de celui de l'avocat. Profitant de cette pause involontaire, il rechargea son Colt et continua à descendre l'escalier, prudemment cette fois, jusqu'au rez-de-chaussée. Il n'y avait personne dans la rue, sauf une voiture garée sur le trottoir d'en face qui démarra précipitamment lorsque le poète apparut fièrement sur le seuil, pieds nus, les cheveux hérissés, un .45 tout fumant à la main droite. Le poète n'hésita pas et commença à tirer sur la voiture qui accélérait, touchant la vitre arrière et faisant voler en éclats le rétroviseur.

Brusquement, il se vit lui-même en chaussettes dans la rue déserte, les pieds dans une flaque d'eau, les oreilles assourdies par les coups de feu, les dents serrées, la gorge desséchée et un tremblement dans les jambes accompagné d'une forte douleur aux reins et d'un frisson qui remontait jusqu'à la nuque. Il tomba à genoux et murmura comme une prière :

– Valencia, Valencia, quel con tu fais ! Arrête-toi de tirer. Pardonne-moi, Valencia.

Il sentit tout d'un coup le regard de quelqu'un. A sa gauche, assis par terre, appuyé contre le mur, se trouvait Executor, sans chapeau, la tête inclinée sur une épaule, les yeux à moitié hagards, la chemise ouverte, les manches retroussées.

– Qu'est-ce qu'ils t'ont fait, mais qu'est-ce qu'ils t'ont fait ? demanda le poète atterré en se relevant.

Lorsque Manterola revint au journal, on lui demanda deux articles de routine, l'un sur un hold-up à Guadalajara dont la piste se perdait à Mexico et l'autre sur le suicide au gaz d'une mère célibataire. Cela lui prit deux heures et il termina dans les temps. Les gargouillis de son estomac lui rappelèrent qu'il n'avait rien mangé de toute la journée. Il traqua son rédacteur en chef pour l'informer qu'il enquêtait toujours sur l'histoire des bijoux et il se libéra ainsi d'autres tâches secondaires. Il était environ 8 heures du soir lorsqu'il quitta les bureaux de *El Demócrata*. Il passa devant un petit restaurant sur Puente de Alvarado et dîna d'une soupe de tortillas. Il se rendit ensuite dans la colonia de Guerrero pour y rencontrer le responsable de l'imprimerie *La Industrial*. Il avait trouvé son adresse grâce à un ouvrier de l'imprimerie du journal qui y avait travaillé. Il resta une demi-heure avec lui puis, en boitant légèrement, se dirigea vers le Majestic.

Au bar, une équipe de base-ball fêtait une victoire. Il y avait une certaine animation autour des tables de billard et une bande de tricheurs professionnels, d'origine espagnole, attablée à la table stratégique, près de l'entrée, préparait de futures entourloupes.

Manterola se dirigea vers sa place habituelle et Eustachio le suivit, muni d'une bouteille de rhum et d'un chiffon sale pour essuyer le marbre.

– Mes amis ne sont pas venus ?

– Non. Ni message, ni téléphone. Mais ce monsieur vous a demandé.

Manterola suivit du regard le doigt d'Eustachio et eut devant les yeux un officier élégant, le pantalon et la tunique impeccablement repassés. Il l'avait déjà rencontré une semaine auparavant, sous les traits d'un maçon dans le coma. Le journaliste eut un sourire. Si Jésus de Nazareth était ressuscité, pourquoi pas un maçon de Mexico ? De la main, il lui fit signe de s'approcher et demanda à Eustachio d'apporter un autre verre.

– Capitaine Martinez, des services secrets, se présenta le personnage. Désolé d'avoir tout vu.

– Et moi désolé que vous ayez été à l'article de la mort la dernière fois que nous nous sommes rencontrés. Un peu de conversation à l'hôpital ne m'aurait pas fait de mal. On aurait pu parler bâtiment.

– Toutes mes excuses, Monsieur le journaliste. Les ordres sont les ordres.

– Et d'où viennent ces ordres, Capitaine, si ce n'est pas indiscret ?

– Directement du Président, le général Obregón, à travers son secrétaire particulier, Monsieur Alessio Robles. C'est vrai pour moi et mes collègues.

Le barman posa un deuxième verre sur la table et Manterola le remplit de rhum, mais l'officier refusa d'un geste.

– Désolé, je suis en service.

– Bon, alors je vous écoute.

– Cela devrait être plutôt l'inverse, Monsieur Manterola.

– Qu'est-ce que vous voulez que je vous raconte ?

– Tout ce que vous savez sur les colonels Martinez Fierro, Zevada et Gómez. Tout ce que vous savez sur la conspiration de Mata Redonda.

– La quoi ?

– Bon, restons-en aux colonels.

– Martinez Fierro, jamais entendu parler de lui.

Zevada est mort. Il s'est jeté ou on l'a jeté de la fenêtre d'un immeuble, en face de mon journal. Gómez est le chef de la gendarmerie de cette ville. Si vous me poussez un peu, je peux même ajouter que je le tiens pour un corrompu, un voleur et un assassin.

– Si je vous disais que Gómez a voulu vous faire tuer une fois, et Martinez Fierro une autre, qu'est-ce que vous me répondriez ?

– Ecoutez, capitaine, arrêtons de tourner autour du pot. Dites-moi ce que vous savez. Moi j'essaierai d'assembler les pièces de mon puzzle dans le cadre que vous voudrez bien me donner.

– Je regrette, Monsieur Manterola. Je n'ai qu'une chose importante à vous dire : le président de la République en personne vous recommande de continuer votre enquête. Je m'associe à ce vœu et vous suggère la plus grande prudence. C'est tout ce que je puis vous dire. Je vais vous laisser un téléphone. En cas d'urgence ou si vous avez besoin d'aide, n'hésitez pas à appeler.

L'officier tendit à Manterola un bristol avec un numéro, le 42-38.

– Quel réseau ? Ericsson ou Mexicana ?

– Mexicana. Vous demandez ensuite le numéro rouge, répondit l'officier, déjà debout.

Manterola le salua en portant le bout de carton à sa tempe et le regarda fixement tandis qu'il quittait les lieux. Puis il murmura :

– Le général Obregón vous recommande... Pouah ! Cet imbécile me prend pour un Indien yaqui.

39. Belles histoires du passé :
Fermin Valencia à Zacatecas

A la mi-juin 1914, Pancho Villa ordonne, contre l'avis de Carranza, de marcher sur Zacatecas. Les chevaux sont chargés dans les wagons et, sur les toits, leurs cavaliers chantent qu'ils briseront la colonne vertébrale de l'armée de Huerta.

Vingt mille hommes se rassemblent autour de la ville. Les brigades Nateras, Saragosse, les troupes de Aguirre Benavides, les brigades Villa, Urbina, Morelos, les forces de Maclovio Herrera et de Manuel Chao, l'artillerie commandée par Felipe Angeles.

Le poète va d'un cantonnement à l'autre, reniflant les marmites, dévisageant les soldats, cherchant les symptômes de la bataille. Il ne voit partout que des préparatifs de fête.

Dans un pareil climat, lorsque le 23 juin à dix heures du matin, les cinquante canons de la Division du Nord ouvrent le feu sur les collines fortifiées qui entourent la ville, son sang se met à bouillonner. Pancho Villa garde la cavalerie en réserve. Déplaçant les canons, faisant manœuvrer l'infanterie, il commence à laminer les troupes fédérales. Loreto tombe en une heure. Le bombardement redouble. Du ciel couvert au-dessus de Zacatecas pleut la mitraille.

A cinq heures de l'après-midi, l'ordre de marche parvient aux brigades Villa et Cuauhtémoc. Le poète met son cheval au petit trot, comme mille autres cavaliers de la Révolution.

Progressivement, ils passent au galop. L'artillerie fédérale fait des brèches dans leurs rangs. Des mitrailleuses invisibles lancent leurs volées de plomb,

175

un des voisins du poète tombe avec son cheval. Les cavaliers traversent un brouillard de poudre et de poussière, des projectiles explosent derrière eux. Soudain, un hurlement parcourt les rangs : la première tranchée vient à eux, vertigineuse. Ils la sautent en hurlant toujours. Le poète prend les rênes entre ses dents, éperonne son cheval, saisit un pistolet dans chaque main et se met à tirer sur les fédéraux qui s'enfuient ; l'un de ses camarades charge en chantant. La première ligne fédérale plie, entraînant la seconde dans la panique.

Soudain, il arrête son cheval. Il est dans les faubourgs de Zacatecas.

– Vive Pancho Villa, salopards ! hurle le poète. Il est, à ce moment précis, parfaitement heureux.

40. Deux anars à la cave

– Tu vois, San Vicente, si tu ne fumais pas, tu n'aul'ais pas de pl'oblèmes ! lança le Chinois dans l'obscurité.

– Ce n'est pas le tabac qui me manque, putain ! Je n'arrive pas à me décider à gratter mon avant-dernière allumette.

Thomas avait enlevé le verre de sa montre et savait au toucher que cela faisait déjà dix heures qu'ils étaient dans cette cave humide, moisie et froide où ils étaient tombés après avoir glissé par la trappe du salon. A peine remis de leur culbute, ils avaient utilisé les allumettes de San Vicente pour explorer les lieux. Ils mirent une demi-heure avant de se résigner. Ils ne trouvèrent que deux cercueils vides dans un coin et quelques vieux sacs de pommes de terre pourries. Le sol et les murs de la cave étaient en terre battue et le seul moyen d'en sortir était, trois mètres cinquante au-dessus de leur tête, la trappe qui s'était mécaniquement refermée après leur chute. Sans échelle, il n'y avait apparemment aucun moyen de descendre ou de remonter de cette cave.

Les dix heures de solitude qu'ils venaient d'y passer n'avaient été interrompues qu'une fois, quand ils avaient entendu quelqu'un marcher au-dessus de leur tête. Toujours irascible, l'anarchiste espagnol avait coupé court à une éventuelle visite en tirant deux balles à travers la trappe. Les cris entendus après les coups de feu semblaient indiquer que le cadeau était parvenu à son destinataire. Ensuite, le silence.

Thomas était monté sur les épaules de l'Espagnol, lui même juché sur les cercueils. Mais ses mains tendues atteignaient à peine la trappe dont, de toute façon, le

177

mécanisme devait se trouver à l'extérieur. Devant l'évidence, ils s'étaient résignés à l'attente.

— Peut-être qu'ils veulent nous faire mourir de faim, suggéra San Vicente.

— Combien de temps peux-tu tenil' sans manger ?

— Putain ! Dans des conditions normales et en ayant à boire, trois semaines. Ici comme on est, je n'en sais rien.

Ni le Chinois ni son ami n'étaient très portés sur les conversations inutiles. Après avoir conclu qu'ils n'avaient qu'à attendre, ils n'échangèrent qu'une demi-douzaine de phrases, d'heure en heure.

— Thomas, j'ai toujours vécu intensément et côtoyé la mort. Je n'ai jamais aimé ça, je n'ai pas d'illusions, mais il y a des morts dont je rêve, qui me paraissent moins stupides que celle-là.

— C'est ma faute, San Vicente. Je suis un Chinois de pacotille. Ce qui nous al'ive, c'est pal'ce que je ne connais pas les miens. Je n'ai dû mettl'e les pieds dans le qual'tier que quatl'e fois. Cinq en comptant aujoul'd'hui. Je n'aime pas la cuisine chinoise. Je ne connais l'ien aux tongs ou aux tl'iades. A Tampico, j'en savais plus. Mel'de ! Je cl'ois que je suis même incapable de distinguer un Chinois d'un Philippin ou d'un Japonais.

— Oui, mais tu sais faire la différence entre un camarade et un salopard. Il y a quelques mois, à San Luis Potosi, un compatriote m'a montré une carte postale du village où je suis né, dans les Asturies... Il m'aurait montré une photo de la Guinée, ç'aurait été pareil. Je n'en ai rien à foutre de ces conneries de pays. Le pays, c'est l'espace qu'on occupe, point. Cinquante centimètres carrés. Un peu plus quand on t'enterre.

— La tl'appe, elle est comment ?

— Comment ? Quoi ?

— Vue d'ici, elle a des l'essol'ts et des chal'nièl'es sul' le côté dl'oit. A gauche, un vel'ou, une sel'ul'e qui glisse sous l'action des l'essol'ts quand la tl'ape se l'efel'me. Quand elle ne mal'che pas, ils la bloquent depuis là-haut. C'est ce qu'ils ont fait. C'est poul' ça que quand je suis monté, je n'ai pu ni la til'er, ni la pousser. Mais si on gl'impe sul' les cel'cueils, on peut fail' sauter les chal'nièl'es à coup de pistolet, non ?

– Ça ne coûte rien d'essayer. Le seul problème, c'est que nous n'avons que deux allumettes pour viser. Si seulement tu y avais pensé plus tôt, Thomas...

– Tu n'avais pas gagné un concoul' de til' au pistolet à Tampico ?

– Putain si ! Mais ce jour-là, j'avais moins froid.

41. Désolation

Le journaliste arriva chez Executor à deux heures du matin. Il était déjà passé chez le poète, chez le Chinois – la petite maison de Contreras était vide – à la Croix-Rouge, à la Croix-Blanche, à la morgue, et dans plusieurs commissariats du centre. C'est à la morgue qu'il avait trouvé l'adresse de l'avocat. Une des amies de celui-ci, qui avait une fois passé la nuit chez lui, était en train de veiller le corps de son père, mort de froid pendant une cuite. L'immeuble de deux étages, qui comptait trois bureaux outre l'appartement de l'avocat, était plongé dans l'obscurité. Il était entouré de terrains vagues et d'immeubles en construction. L'éclairage municipal était en cours d'installation et les lampadaires sans lumière qui les décoraient étaient comme les signes funèbres de la civilisation. La lune, en revanche, illuminait l'immeuble d'une douce lumière. Manterola monta l'escalier quatre à quatre. Après plusieurs heures de recherche, après avoir attendu en vain au Majestic, il était sûr que quelque chose de grave était arrivé à ses amis. En arrivant au palier du premier, sa blessure à la jambe lui fit soudain très mal.

– Executor !

La voix du poète surgit par le trou de la porte.

– Putain ! il était temps que tu arrives. Il était temps.

La porte n'était pas fermée. Manterola chercha l'interrupteur. Avec la lumière, il découvrit un étrange tableau. Dans une grande pièce recouverte de moquette, le poète, assis sur un fauteuil, les yeux rougis par le manque de sommeil, montait la garde, un fusil de chasse entre les mains. A côté du fauteuil, sur un lit à une place installé au milieu de la pièce, Executor était allongé avec un inconnu. Sur la moquette, de nombreuses traces de sang menaient jusqu'à l'intérieur de l'appartement.

– J'ai deux cadavres dans la salle de bains, journaliste. Tu as des cigarettes ? J'ai déjà terminé les cigares d'Executor et le paquet d'un des défunts.

Manterola sortit ses Argentinos sans filtre et en offrit une au poète qui ne lâcha pas le fusil, la culasse appuyée contre la cuisse. Il suivit ensuite les traces de sang jusqu'à la salle de bains. Deux corps étaient adossés à la baignoire. L'un des deux avait la moitié de la tête arrachée par les coups de fusil, l'autre montrait deux petits trous dans la poitrine, presque symétriques.

– C'est le petit Français et le militaire qui m'avait tiré dessus chez Peltzer. C'est lui, l'assassin du joueur de trombone. Je ne l'ai pas reconnu l'autre jour, avec son uniforme mais aucun doute, c'est lui, il porte la même casquette plate. Et il porte l'étui du pistolet à gauche.

La voix du poète lui arrivait de loin.

– La police n'est pas venue ?

– Dans ce quartier, on peut violer une mère de famille et tout retransmettre par haut-parleurs, personne ne réagira. Ils doivent être habitués.

– Qu'est-ce qui est arrivé à Executor ? Cela fait longtemps que vous êtes là ? Qui est l'autre type sur le lit ? demanda le journaliste en sortant de la salle de bains. Il fermait les yeux pour s'ôter l'image du cadavre à qui il manquait la moitié de la tête.

– Je n'ai pas bougé d'ici de l'après-midi et de la soirée, ça fait douze ou quinze heures que je suis sur le pied de guerre. Executor est sorti acheter des cigarettes à trois heures. Les deux que j'ai descendus l'avaient laissé dans cet état. Il donne des signes de vie, mais ils ont dû lui faire quelque chose ; il est en sueur, il crie... Je ne sais pas quoi faire de lui. L'autre, c'est Van Horn, le Hollandais qui avait disparu. Le camarade de chambre de l'Anglais dont tu as découvert qu'il ne s'était pas suicidé. Il est dans un demi-coma et raconte n'importe quoi. Je les ai mis ensemble parce qu'il n'y a

181

qu'un lit, et j'avais comme un scrupule à laisser le *gringo* par terre, même si ce n'est pas un copain. Tu sais quoi, journaliste ? Je ne désire qu'une seule chose : revoir mon pauvre père – Dieu ait son âme – qu'il me prenne par la main, me mette au lit, me donne un verre d'eau et me raconte une histoire pour m'endormir. Dormir, ah ! dormir...

– J'aurais bien voulu être à tes côtés.

– Moi aussi, j'aurais bien voulu, répondit le poète, la tête rejetée en arrière, les yeux fermés.

Le journaliste passa le reste de la nuit à travailler comme un fou. Malgré sa jambe douloureuse, il descendit les deux étages avec Executor et le Hollandais sur le dos, les installa sur le siège arrière, aida le poète à descendre, rangea les fusils et chargea les deux cadavres dans le coffre de la Packard. Il remonta pour nettoyer soigneusement les taches de sang sur ses habits. Il prit Insurgentes jusqu'à la rue des Arts. Là, il tourna à gauche et, suivant les instructions du poète, traversa la colonia San Rafael jusqu'à la résidence de la veuve Roldán. Il devait être trois heures et demie du matin lorsqu'il sortit les cadavres du coffre. Il les abandonna sur le trottoir, à dix mètres de la maison. Il redémarra. Les lumières de la rue restèrent éteintes et rien ne bougea dans la maison. Il remonta Tacubaya et prit l'avenue San Angel. La lune brillait doucement sur les champs de maïs. Le poète ronflait à côté de lui. Il croisa un tramway et une charrette de fruits et légumes tirée par un âne. Quelques mètres plus loin, il aperçut trois silhouettes solitaires marchant au bord de la route. Le journaliste réajusta ses lorgnons.

– Thomas ! Thomas !

Le Chinois regarda cette Packard blindée avec Manterola au volant, le poète endormi à ses côtés et deux autres hommes à l'arrière, qui, dans un grincement, freinait à côté de lui. Il soutint Marie qui s'accrocha plus fermement à son bras et retint d'un geste San

Vicente qui portait déjà la main à la poche de son gilet pour prendre son pistolet.

– Mais où est-ce que je vais les mettl'e ? Je n'ai qu'un lit à la maison, pensa-t-il.

42. Réveils et étonnements

A la tête d'une équipe en piteux état, qui réclamait à grands cris du repos, Manterola prit l'initiative. Après avoir tourné longtemps, ils s'installèrent finalement dans un hôtel de passe de Tlalpan, qui s'appelait, para-doxalement, Le Repos. Son patron, un Espagnol, avait une petite dette vis-à-vis du journaliste qui, trois ans plus tôt, l'avait défendu contre les abus de trois officiers.

Le *gringo* était toujours en état de choc. L'avocat déli-rait mais n'avait pas de blessures apparentes. San Vicente, l'anarchiste, avait attrapé un rhume carabiné dans la cave. Le poète était abattu, complètement apa-thique, contrecoup des heures de violence et de tension. Marie avait des brûlures aux bras. Et Thomas Wong une plaie de taille moyenne au front, qui saignait encore.

Le journaliste ne put obtenir mieux que deux chambres avec trois lits en tout et un fauteuil, plus une marmite de bouillon de poule et un médecin avorteur pour rafistoler ses troupes. Il sortit sur le balcon du deuxième étage fumer une Aguila sans filtre, savourant l'aube. Tlalpan était un village peu contaminé par les vices de la ville proche. On y trouvait deux fabriques textiles, quelques laiteries et une multitude de jardins de cultures maraîchères. Tôt le matin, loin de la route ou des portes des usines, le village vivait la paix bucolique de la campagne mexicaine, que la Révolution ne sem-blait pas avoir touchée. Deux femmes se rendaient au marché, leurs paniers remplis de laitues et de piments verts ; un laitier conduisait un troupeau d'ânes chargés d'énormes bidons de vingt-cinq litres ; un conducteur de tramway en uniforme partait pour le travail. Le journaliste expira la fumée qui s'enfuit vers le ciel, au-dessus de la balustrade. Même sans être un expert dans l'art de la guerre, il sentait que c'était à eux de faire le prochain mouvement. Il savait de quoi seraient faites les actions suivantes : des tirs, des manœuvres, des pièges, les journaux. La presse. Ça, c'était important. Avoir à ses côtés la parole divine, la vérité noir sur blanc. Là-dessus, Manterola en connaissait un rayon. Ce qui le gênait, c'est qu'il n'arrivait pas à s'ôter de la tête l'image de Margarita, nue à l'exception de la capeline d'où s'échappait une mèche rebelle. Pour chasser la veuve de ses pensées, il eut un geste de la main, comme pour éloigner la fumée ou un moustique. Il essaya de faire le point. Pendant les deux heures qu'avait duré leur tour en voiture, il avait appris, par bribes, une telle quantité de choses qu'il se sentait incapable de les mettre en ordre : l'apparition de nouveaux personnages, l'enlèvement de Marie, le Hollandais blessé, l'arrivée dans leur club de San Vicente, le même anarchiste qui, s'il avait bonne mémoire, avait été déporté par Obregón en mai 1921...

Le journaliste eut un sourire. S'il ne s'était pas trouvé lui-même au milieu de l'orage, il aurait pu faire un beau reportage à partir de ce tas de folies. Pour tout journaliste considérant son travail comme le premier des Beaux-Arts et sa spécialité comme l'ultime merveille de la chose imprimée, Mexico était un véritable paradis. « La poésie du vingtième siècle », murmura-t-il pour lui-même. Il rentra se chercher un endroit pour dormir au milieu de ses amis entassés.

Dans une des chambres, San Vicente, pistolet en main, ronflait dans le fauteuil coincé contre la porte. Sur le lit reposait le Hollandais et, recroquevillé à ses pieds, chaussé de ses bottes, le poète. Manterola passa dans la chambre communicante et vit sur un des lits Thomas, les yeux ouverts sous un pansement ensanglanté, un bras protecteur autour de Marie, une cigarette dans l'autre main. Sur le deuxième lit gisait un Executor inquiet.

– Tout va bien, joul'naliste ? demanda le Chinois à voix basse.

– Si l'on peut dire. Tu ne dors pas ?

– Je l'éfléchis à deux ou tl'ois petits tl'ucs.

Manterola ôta ses bottines et ses chaussettes, qu'il glissa soigneusement à l'intérieur. Il jeta sa veste par terre et défit les boutons de son gilet. Puis, sans trop bouger, il s'étendit à côté de l'avocat. Il tenta de récupérer pour lui un bout de l'oreiller monopolisé par Executor et demanda :

– Et elle, comment va-t-elle ?

– Bien. Le docteul' dit que les bl'ûlul'es sont supel'ficielles. Des bl'ûlul'es de cigal'ette. Fils de putes !

Manterola tourna la tête, laissant le Chinois seul avec son ressentiment. Ses yeux croisèrent le regard de l'avocat, qui le dévisageait fixement.

– Alberto allons... dit le journaliste. Mais il se rendit compte que ses mots ne parvenaient pas jusqu'à l'avocat qui contemplait tout autre chose : un morceau d'enfer.

Executor se pencha vers lui et, serrant ses mains autour du cou du journaliste, commença de l'étrangler.

– C'est moi, Pioquinto Manterola, ton ami, dit le journaliste, sans essayer de se dégager. Tu as tant d'amis que ça pour te permettre d'en étrangler un ?

Les mains d'Executor se refermèrent sur le cou et serrèrent plus fort. Manterola fixa les yeux gris et fous de son ami et dit en parlant plus haut :

– Alberto ! C'est moi, Manterola !

Thomas sauta du lit en criant.

– Et là, du calme !

– Je suis un... ami, balbutia Manterola, ressentant les premiers effets de l'asphyxie.

Thomas frappa du tranchant de la main les poignets de l'avocat, mais il ne céda pas.

– Ne te laisse pas fail', joul'naliste ! Ne te laisse pas fail' ! Il va te tuer ! cria le Chinois.

Manterola réagit enfin et agrippa les mains de l'avocat, essayant de les desserrer.

– Fel'min ! Sebastian ! hurla le Chinois. Le journaliste, les yeux hors des orbites fixait l'avocat, perdu dans son enfer.

– Mais laisse-le, c'est le joul'naliste ! Laisse-le, imbécile ! cria le Chinois en frappant l'avocat à la poitrine.

Secoué, l'autre n'en continuait pas moins de serrer. San Vicente et le poète surgirent de l'autre chambre. Marie était déjà debout et tirait l'avocat par les cheveux. A eux quatre, ils parvinrent à l'arracher du journaliste, qui, privé d'oxygène, commençait à émettre des râles. Executor s'effondra sur le lit.

Manterola essayait anxieusement de retrouver de l'air pour ses poumons douloureux.

– Qu'est-ce qui te prend, animal ? C'est Manterola ! hurla le poète à Executor qui commençait à sangloter.

– Il vous a eus. C'est mon père. Moi aussi, il voulait m'avoir. C'est mon père, balbutia Executor entre ses sanglots.

San Vicente aida le poète à se redresser et lui offrit un verre d'eau. Marie pleurait presque aussi fort que l'avocat.

– Putain, merde ! Tout ça, c'est un cauchemar. Si je dors, ça va se dissiper, dit le poète.

– Il voulait m'avoir, il prétendait être mon ami, dit Executor en ravalant ses larmes, essayant d'expliquer l'inexplicable à ses amis.

43. Belles histoires du passé :
Executor à Veracruz

Le soleil resplendissant de Veracruz frappe de plein fouet le costume blanc comme neige de l'avocat Alberto Executor. Il descend la passerelle du Miraflor. Il tente de passer devant deux passagers pour se mettre juste derrière une jeune femme, vêtue d'une vaporeuse robe jaune, la fille d'un commerçant allemand de Campeche. Il flirte avec elle depuis la Havane.

Au pied de l'échelle, un vieux manchot tout ridé demande l'aumône, tendant sa sébille aux passagers. Executor met machinalement la main à la poche pour sortir une pièce et ses yeux, sans le vouloir, croisent ceux du mendiant. Celui-ci retire la sébille, ébauche un sourire et cligne de l'œil à l'avocat.

Executor, déconcerté, hésite un instant puis sort son dernier paquet de cigarettes Upman, acheté à Cuba. Du merveilleux tabac de Vuelta Abajo, le meilleur du monde. Il s'assoit à côté du mendiant et lui en offre une.

La dame en tulle jaune se perd dans la foule, sans que l'avocat vêtu de blanc y fasse attention : il est déjà penché sur le mendiant pour allumer les deux cigarettes, sous le soleil resplendissant de Veracruz.

44. Partie de dominos avec allusions
au voyage de Christophe Colomb

C'est le poète qui en a eu l'idée. C'est à lui aussi que revient l'honneur de poser le premier double-six. Une histoire de fous pareille serait incomplète sans une bonne partie de dominos, a-t-il déclaré. Vers la fin de la matinée, il a disparu et est revenu avec une boîte de dominos en os, un sac rempli de *tacos* à la saucisse et une énorme cruche de grenadine à l'eau qui circule rapidement de bouche en bouche.

– Qu'est-ce que c'est que cette histoire de dominos ? tente de protester San Vicente. Thomas lui explique.

– Et toi, tu n'as pas tes manies ? Tu es en faveul' du libl'e al'bitl'e, non ? Alol', mange, fais une sieste, et ne nous emmel'de pas. Ou bien assieds-toi et l'egal'de la pal'tie.

Heureusement, il y a une bonne table dans la chambre et trois chaises. Quatre en tirant le fauteuil qui a servi de lit à l'anarchiste. Marie chantonne dans la chambre à côté en se lavant et en soignant ses brûlures au bras. Le poète rythme la chanson avec ses dominos.

Executor, qui se tient derrière ses dominos comme s'il espérait s'en faire un rempart, est remarquablement pâle. Après son agression matinale, il s'est excusé auprès du journaliste. Le mutisme a succédé à l'état d'angoisse. Il s'est réveillé plusieurs fois en criant, trempé de sueur. Depuis l'incident, Manterola est totalement aphone. Et le poète, qui s'est chargé de ranimer le moral du groupe, a le visage bouffi. Ses plaisanteries sont un peu limites, sur le fil du rasoir. Thomas, pour ne pas être en reste, ressemble à un déchet de la guerre des Boxers.

Le poète pose le double-six. Cela pourrait être le signal pour qu'ils commencent leurs récits, mais le Chinois joue le six-quatre et les coups se succèdent rapidement : Manterola répond avec le quatre-deux et Executor met le deux-six, histoire de voir ce que cache l'ouverture avec le double-six. Impossible d'organiser la guerre, ou de raconter la suite d'événements des derniers jours, sans savoir si le poète a ouvert avec le double-six contraint et forcé, ou s'il est effectivement couvert du côté des six. Le poète passe. C'est le moment qu'ils attendaient.

– Si chacun raconte son histoire, on pourra ensuite assembler les morceaux, propose le journaliste.

– Tu crois vraiment qu'il est possible de mettre bout à bout cette histoire de fous ? Qui te dit qu'il s'agit d'un puzzle ? interroge le poète en lissant sa moustache.

– Dans les rêves que j'ai faits quand j'étais drogué, revenait un fragment de Shakespeare. Une représentation que j'ai vue un jour à Milan : « La vie est comme une ombre qui passe, une histoire racontée par un idiot, pleine de bruit et de fureur et qui ne signifie rien », dit Executor en jouant le premier trois.

– Si vous préférez, nous pouvons continuer à jouer et discuter de la prochaine saison de corridas. Avec des compagnons de voyage pareils, Christophe Colomb aurait débarqué au milieu du lac de Texcoco.

– Il y aul'ait ouvel't une boulangel'ie ! ajoute Thomas.

– La Fleur des Amériques, surenchérit le poète pour mieux faire oublier qu'une fois de plus, il se retrouve bloqué par les six.

– Ou Les Tl'ois Cal'avelles.

– Chez Colomb, propose Executor.

– Les bijoux. Si on commençait par les bijoux ?

– Il n'avait pas de bijoux, rien que de la verroterie pour entuber les indigènes, poursuit le poète.

– Messieurs, je vous emmerde ! lance le journaliste qui vient d'être obligé de jouer son dernier six.

– Bon, les bijoux. D'accord, parlons des bijoux.

– Il y a un an, deux vieilles Espagnoles ont été retrouvées mortes dans une pension de la rue Gante. On les a torturées pour leur faire avouer où elles cachaient leurs bijoux. Les pierres précieuses ont disparu, et avec elles leur neveu, qui venait d'arriver d'Espagne.

– Ramón l'espingouin, intervient Executor.

– Possible. Sauf qu'à l'époque il ne s'appelait pas Ramón mais Dionisio.

– Parmi tous ceux qui ont été mêlés à l'enquête, se trouvait le colonel de gendarmerie Gómez, qui a poursuivi avec ses hommes sur la route de Toluca une voiture où était censé se trouver l'assassin.

– Et alors ?

– Il a retrouvé la voiture, une Cole & Cunningham, mais pas le chauffeur. Je vais jouer un trois.

– Je me couche, fait l'avocat. Pas mal, tout ça.

– Moi, ma contribution à cette histoire, c'est le colonel Martinez Fierro, annonce le poète.

– Encol'e Tampico, remarque le Chinois.

– Moi aussi, je l'avais dans mes papiers, ajoute le journaliste. Pendant que je vous attendais hier soir au Majestic, un capitaine des services secrets, qui disait recevoir ses ordres directement d'Obregón, m'a encouragé à ce que nous poursuivions l'enquête.

– Tu ne lui as pas demandé quelle enquête ? interrompt le poète.

– Il ne m'en a pas donné le temps. Il nous a aussi fait cadeau d'une information. Martinez Fierro est l'instigateur d'un des attentats contre nous, et Gómez de l'autre.

– Tampico, ou pl'esque. C'était un des commandants de la L'égion Militail'e, dans la zone nol'd. Il doit êtl'e lui aussi de la bande de Pablo Gonzalez.

– Bon, cela fait déjà trois colonels qui rôdaient il y a trois ans du côté de Tampico : Zevada, Gómez et Martinez Fierro.

– Et les tueurs au service d'Obregón, en quoi cela les intéresse ? demande le poète.

– Difficile à dire. Il m'a dit *texto* : « Le général porte un grand intérêt à votre enquête. »

– Parole de manchot, note le poète.

– Exactement, fait le Chinois dont les relations avec la présidence sont plus que mauvaises depuis la chasse aux syndicats révolutionnaires déclenchée en mai 1921.

– Le poète et moi avons obtenu des précisions. Ça nous a coûté six cents pesos. Le Gitan nous a raconté que Martinez Fierro a payé les trois *pistoleros* qui nous ont attaqués à la sortie du café.

– Qui est le Gitan ?

– Un truand ami de monsieur, dit le poète en désignant Executor.

– J'ai une fois défendu l'une de ses cousines, objecte l'avocat avant de poser élégamment sur la table un double-deux qui clôt la partie.

– Caramba, c'est fini !

Executor essuie la sueur de son visage avec un mouchoir blanc. Le poète, qui le surveille du coin de l'œil, demande avec sollicitude :

– J'ouvre la fenêtre ?

– S'il te plaît, Fermin. Je suffoque.

Le poète se lève pour aller ouvrir la porte-fenêtre qui donne sur la terrasse.

– Je puis vous dire qui a tué le joueur de trombone. Et je crois que je sais aussi pourquoi on m'a tiré dessus chez Peltzer.

– Attends, si on continue comme ça, on va tout savoir, sauf ce qui se passe vraiment.

– Vous vous souvenez de l'officier qui accompagnait le Français ? Celui que Peltzer appelait Estrada ? Avec son uniforme, je ne l'ai pas reconnu. J'y vois mal de loin. Mais quand il a débarqué chez l'avocat avec son pistolet, et que je l'ai vu à l'état de cadavre avec sa casquette, je l'ai identifié. C'est lui qui a descendu le joueur de trombone. De loin, je ne l'avais pas bien vu. Mais lui ne m'avait pas oublié. Quand il m'a reconnu chez Peltzer, il est devenu fou et il a ouvert le feu.

– Bon, voilà le lien entre Gómez et Zevada établi. Reste le motif.

– Attendez. Je vais essayer de reconstituer l'histoire jusqu'à aujourd'hui. Supposons que la veuve ait empoisonné son mari. En tout cas, le responsable de l'imprimerie est formel. Ses heures de présence à l'imprimerie n'expliquent pas l'empoisonnement au plomb. Il passait le plus clair de son temps dans des cercles de jeux. Nous avons aussi un Espagnol voleur de bijoux et assassin de ses tantes, un petit Français qui triche aux cartes, une paire de lieutenants, une hypnotiseuse et une secrétaire. Plus un type, Gómez qui les tient tous parce qu'il les protège et les utilise. Elena Torres m'a raconté que Gómez était mêlé à un trafic : l'exclusivité de la vente du fourrage pour la cavalerie de la Région Militaire de Mexico.

– Ça, c'est la cerise sur le gâteau, remarque le poète qui a repris sa place et mélange les dominos.

– C'est une bande bien armée, qui dispose de l'appui de son chef, colonel de la gendarmerie montée de Mexico. Bien que non intégrée à la police, elle intervient fréquemment dans des affaires de police : meetings, poursuites, arrestations spectaculaires.

– Donc, une bande, dont nous savons plus ou moins qu'elle est liée à l'assassinat du colonel Zevada. C'est alors qu'ils nous tombent dessus comme s'ils voulaient nous supprimer de la surface de la terre.

– Non, pas eux. Un certain Martinez Fierro, intervient le journaliste.

– Mais qui a essayé de t'empoisonner ? demande le poète.

– Qui m'a enlevé et drogué ? interroge Executor.

– Et pourquoi les deux types que j'ai descendus sont arrivés chez toi toutes armes dehors ? reprend le poète qui est en train de s'échauffer. Vous savez quoi ? Au lieu d'essayer de comprendre, on ferait mieux d'aller chez ce Gómez. Deux balles et c'est réglé.

– Oui mais Martinez Fierro ?

– Deux balles, pareil.

Les derniers mots du poète entraînent un silence général.

– C'est vrai, journaliste, que la situation est plutôt absurde, reprend Executor. Ils nous tirent dessus, ils nous harcèlent. Moi, ils m'enlèvent alors que je suis sorti acheter des cigarettes. Ils me font une piqûre de je ne sais quelle saloperie, ils m'hypnotisent et ils me renvoient t'assassiner.

– Quand est-ce qu'ils t'ont hypnotisé ? intervient Thomas, curieux.

– Du moins, je suppose qu'ils m'ont hypnotisé. Tout ce que je sais, c'est qu'en sortant de l'immeuble, j'ai senti un coup sur la tête et j'ai vu trente-six chandelles. Ensuite, c'est brumeux, je revois les yeux de la rousse qui zozote et qui me demande de ne pas résister. J'ai deux traces de piqûres au bras. Et en me réveillant, je manque de tuer Manterola en lui disant...

– Qu'il est ton père. Ce qui, vu mon âge, ne me fait pas particulièrement plaisir...

– Merde, mon père, je n'aurais pas eu besoin qu'on m'hypnotise pour le tuer.

– Du calme Executor, tout va bien. J'ai juste la voix un peu rauque.

– Oui, mais si Thomas n'était pas intervenu...

– Un peu rauque, c'est tout. A part ça, je boite parce que j'ai pris une balle dans la jambe, on a essayé de m'empoisonner et même les maçons ne sont plus maçons. Moi aussi, j'ai bien envie de régler ça à coups de pétard, mais ce n'est pas facile. Gómez a dû déjà envoyer la gendarmerie à nos trousses, sous n'importe quel prétexte.

– Attends, c'est quoi cette histoire de maçons ?

– Laisse tomber.

– Bon, puisque nous en sommes aux explications, où est-ce que tu étais fourré, Thomas, et à quoi devons-nous le plaisir de la compagnie de ton ami Sebastian ?

– Je cl'ois, heul'eusement, que notl'e histoil'e n'a

194

l'ien à voil'. Une histoil'e simple, qu'on a l'églée au pistolet.

Le Chinois est sur le point de raconter leur histoire lorsque Marie entre dans la chambre et l'interrompt.

– Il est mort, dit-elle.

– Qui ?

– Le monsieur étranger qui était avec vous.

– Van Horn...

– Vous êtes sûre ? interroge Manterola.

– Il ne respire plus. Je me suis approchée de lui, il ne respire plus.

– Putain ! et moi qui me l'étais trimbalé dans tout Mexico, fait le poète, attendri.

45. Réunion syndicale

Le poète accrocha sur la porte des toilettes pour dames de l'hôtel Ginebra un écriteau en trois langues : HORS SERVICE - OUT OF ORDER - DESCOMPUESTO, et se plaça devant, prêt à arrêter quiconque passerait outre. Le journaliste pendant ce temps disposait des chaises et des cendriers à l'intérieur.

Librado Martinez arriva en premier. Un personnage squelettique auquel, vu sa cirrhose avancée, on ne donnait pas plus de deux ou trois mois. C'était le spécialiste des affaires criminelles à l'*Universal* et l'*Universal Ilustrado*. Quelques instants plus tard, C. Ortega (personne ne savait ce que le C. signifiait, Ortega maintenait le secret absolu à ce sujet), entrait à son tour. Entre autres mérites, c'est lui qui avait raconté dans *Excelsior*, dans sa prose impeccable, juste avant de s'écrouler sur sa machine à écrire, l'incendie où avaient péri sa femme et ses deux enfants. Suivirent à peu d'intervalles Luis Martinez de la Garza, alias le Pou à cause de la crête blanche de perroquet qui surmontait son crâne, et Juan Antonio de Blas. Le premier couvrait, sans efforts en dépit de son bégaiement, les faits divers pour l'*El Heraldo de Mexico*. Le second, journaliste à *Omega*, était à la fois reporter et protagoniste de scandales : une fois sa journée de huit heures écoulée, il se travestissait et faisait le tour des bouibouis les plus sordides de la capitale.

Les quatre qui avaient répondu à l'appel du journaliste de faits divers le plus influent du pays, ne se ressemblaient ni par l'âge, ni par l'allure vestimentaire, ni par le style. Mais ils étaient intègres et considéraient leur travail comme le dernier rempart de la société contre la barbarie. Ils professaient d'étranges idéologies où se mélangeaient des influences nietzschéennes, le deuxième acte du *Barbier de Séville*, le moralisme de Victor Hugo, le style d'Edmond Dantès, Marguerite Gautier, Epicure et Tono Rojas.

Lorsque tous les cinq furent à l'intérieur, le poète ferma soigneusement la porte. Une bouteille de Chianti à la main, cadeau de l'intendant du Ginebra, il monta la garde durant quarante-cinq minutes. Les personnages ressortirent dans l'état où ils étaient entrés, mais un peu plus pressés qu'à l'accoutumée. Manterola sortit le dernier, en se frottant les mains.

Ils enfoncèrent la porte avec la crosse de leur fusil à canon court. Le poète n'eut que le temps de mettre ses pantoufles et de faire glisser Odile, accrochée à une corde, dans la cour intérieure.

Avant qu'ils achèvent de mettre en pièces les montants de la porte, le poète ouvrit.

– Pourquoi tout ce scandale, Messieurs ?

– Fermin Valencia ? interrogea un sergent de la gendarmerie qui était suivi de deux sous-fifres.

– Lui-même, en chair, en os, et même en érection si vous continuez à me la regarder, répondit le poète qui se prit un coup de crosse dans le visage et y perdit deux dents.

– Bande pour ta putain de mère ! cria le sergent.

Fermin crachait son sang lorsqu'il aperçut l'avocat qui s'ouvrait un passage parmi les curieux assemblés devant la porte cassée. Tacubaya était un quartier béni pour les scènes de ménage, les tumultes et tous les spectacles gratuits.

– Permettez, permettez, lança Executor.

– Et vous, qui êtes-vous ? interrogea le sergent.

– L'avocat de ce monsieur. De quoi l'accuse-t-on ?

– De l'assassinat d'un officier de l'armée mexicaine.

– Vous connaissez l'emplacement de votre nombril, sergent ? interrogea Executor. Eh bien je vais vous faire un autre trou symétrique juste au-dessus. Il dégaina son pistolet d'un geste qu'il avait répété toute la matinée à l'Opéra, un établissement de bains-douches. Plus prudent que son ami, il avait passé la nuit à errer dans la ville, familière et protectrice. Au matin, à l'Opéra, il s'était douché sous un jet d'eau glacée, avait nagé dans la petite piscine, et s'était entraîné à dégainer.

– Laissez ce monsieur tranquille, ou vous ne sortez pas d'ici.

Il prit le poète par le bras mais celui-ci se retourna, désarma les gendarmes et jeta leurs Remington par la fenêtre en priant pour qu'Odile ne soit plus dessous. Puis il chercha son Colt dans les draps défaits et s'avança vers le sergent.

– Si je comprends bien, sergent, vos ordres étaient de m'arrêter. Les deux dents en moins ne faisaient pas exactement partie de votre mission, n'est-ce pas ?

– Vous ne pouvez pas sortir. J'ai deux autres hommes en bas.

– Soyez gentil, répétez après moi : je suis un connard de gendarme, et un âne. J'ai voulu baiser un poète et c'est moi qui me fais enculer... Allez, répétez : je suis un connard de gendarme...

Manterola, avec ses économies, s'était déguisé en prince hindou. Selon la théorie que le ridicule est encore la meilleure des protections, il était descendu à l'hôtel Regis sous le nom du Maharadjah Sigh Lai, de Kuala Lumpur (la lecture consciencieuse de Salgari lui avait servi à quelque chose). En turban et chemise brodée, il avait acheté les journaux du matin.

Excelsior consacrait les huit colonnes de la page Événements au rappel du vol de bijoux chez les petites vieilles, identifiant Dionisio Gorrochátegui, le suspect en fuite, comme "un certain Ramón, le protégé d'un célèbre officier de gendarmerie". L'article reliait les bijoux disparus avec ceux trouvés dans les poches d'un joueur de trombone, frère d'un autre colonel, ami intime du colonel de gendarmerie en question.

Le maharadjah se frotta les mains et poursuivit sa lecture. La première page du deuxième cahier de l'*El Heraldo* était consacrée à l'éclaircissement, preuves à l'appui, de l'affaire du trafic de fourrage. Martinez de la Garza était décidément un génie. Le journal, propriété du général Alvarado, pouvait s'offrir le luxe de pilonner certaines couches du pouvoir obregóniste. Martinez en profitait. Selon l'auteur de l'article, un colonel de gendarmerie "non identifié" (il n'y en avait que trois, Gómez, et deux de ses subordonnés, le coup était bien visé), qui contrôlait la concession de fourniture de fourrage pour la cavalerie de la Région Militaire de Mexico, la facturait à des prix 60% supérieurs à ceux du marché. Le reporter s'interrogeait sur les causes de ce trafic honteux. Dans une conclusion indignée, il demandait au général Cruz de prendre l'affaire en main et de la tirer au clair pour laver l'honneur de l'institution militaire et révolutionnaire.

Fatigué de lire debout, le maharadjah Manterola se dirigea vers le bar de l'hôtel. Clandestinité oblige, il choisit un coin mal éclairé pour continuer ses lectures lumineuses. Il ouvrit l'*Universal*. Librado y signait une de ses chroniques tordues et pleines d'émotion où il s'interrogeait à voix haute sur les circonstances réelles de la mort par saturnisme d'un imprimeur bien connu qui ne touchait jamais au plomb de ses ateliers. L'histoire de la mort de Roldán qui, à l'époque, n'avait pas mérité plus de dix lignes, était cette fois développée en détail, avec de nombreuses photos de sa veuve, et même de la résidence de San Rafael. Presque à la fin et sans en avoir l'air, il demandait si la veuve en question n'était pas celle que l'on pouvait voir, au bras d'un colonel de gendarmerie, dans certaines réceptions mondaines de Mexico. Dans *Omega*, de Blas étudiait, sur un ton plus mesuré, les accusations d'un supposé représentant de Aguila contre une bande dont le quartier général se trouvait dans la colonia de San Rafael et qui avait enlevé son émissaire Van Horn.

Manterola demanda un whisky en hindou, ce qui est la même chose qu'en espagnol ou en anglais. Il ajouta force gestes étranges, pour donner le change. Il ouvrit son propre journal qu'il avait gardé pour la fin.

Il n'avait pas l'habitude de se relire. Le journalisme

est un art éphémère et c'est ainsi qu'il l'entendait et, bien sûr, le vivait. Tout article terminé était pour lui de l'histoire passée, dont on pouvait se resservir pour le présent mais qui n'était pas fait pour perdurer. Manterola disait toujours qu'il était fier de voir ses articles servir d'emballage au marché aux poissons, le lendemain de leur publication.

Mais cette fois, il avait de bonnes raisons. Il voulait vérifier tous les détails du dispositif journalistique mis en place autour du colonel Gómez. Il y avait une photo peu ragoûtante des deux corps retrouvés à proximité de la résidence de San Rafael, identifiés comme ceux de Michel Simon, tricheur français, et du lieutenant de gendarmerie Estrada. Dessous, après avoir donné des détails sur les chevrotines qui criblaient l'un et les balles de .45 reçues par l'autre, il indiquait que les deux hommes étaient apparemment au service du colonel Gómez et s'interrogeait sur une possible dispute entre eux pour des motifs inconnus. Il faisait ensuite le lien entre le lieutenant Estrada et l'assassinat du joueur de trombone – « d'après plusieurs témoins oculaires » – et rappelait que ce dernier était le frère du colonel Zevada, « un ami intime du colonel Gómez ». « On ne peut laisser salir le nom de la gendarmerie et le colonel Alberto Gómez a de nombreuses explications à fournir à ses supérieurs », concluait-il.

Il sortit son couteau suisse et découpa tous les articles. Il souligna soigneusement le nom de Gómez et toutes les allusions à "un colonel de gendarmerie". Il mit le tout dans une enveloppe à l'adresse du chef de la place, le général Cruz. Il se frotta les mains à nouveau, jusqu'à ce qu'elles brillent. Les muets font entendre leur voix, la chose imprimée montre sa force, se dit-il.

Au sortir de la réunion syndicale de la Providencia, Thomas et San Vicente s'en furent ensemble par les ruelles de San Angel. Le Chinois avait choisi comme cachette, pour lui, son ami et Marie, une charbonnerie tenue par deux anarchistes de ses amis, mis à la porte d'une autre usine. Le ciel était d'un bleu brillant, sans un nuage, rempli d'oiseaux.

– Je ne te comprends pas, Thomas. Tu mets des obstacles à une action révolutionnaire et maintenant tu ne cilles pas quand tes amis te disent qu'ils veulent attaquer une banque.

– L'ol'ganisation est une chose, nos pel'sonnes une autl'e. C'est comme ça. Que veux-tu que j'y fasse ?

– Mais, putain ! c'est une bande d'amateurs. Des amateurs. Attaquer une banque ! Comme s'il s'agissait d'aller sauter à la corde ou de jouer à colin-maillard. Putain, merde !

– C'est poul' ça, fl'èl'e, qu'on a besoin de tes sel'vices.

– Ça au moins, c'est clair. Mais ce qui est clair aussi c'est que si c'est le coffre-fort du *gringo* et ce qu'il y a dedans qui vous intéresse, moi je garde les billets.

– Pel'sonne n'a dit le contl'ail'. Quand tu as expliqué que tu ne voulais pas le fl'ic poul' toi, mais poul' pl'omouvoil' la pl'esse anal'chiste, tout le monde était d'accol', moi compl'is. Non ?

– Mais c'est ça qui est un comble ! Que tu sois prêt à attaquer une banque, mais pas pour la cause.

– Un joul', toi et moi, on il'a attaquer les banques et les boul'geois dans le monde entier, mais là où il n'y a pas d'ol'ganisation, poul' ne pas que ça l'etombe sul' les camal'ades, d'accol' ? Tu as ma pal'ole.

– Je ne voulais pas le tuer mais quelque chose m'a poussé à appuyer sur la gâchette, comme si cela avait été lui et pas lui, lança d'un seul coup Executor, qui n'avait pas envie de parler.

Le poète, qui était en train de penser à Odile, se contenta d'approuver.

– Personne ne connaît tous les démons qu'il porte en lui. Cette femme m'en a fait surgir un, qui se promène en liberté.

– Tu devrais l'épouser, même si elle louche et zozote un peu.

– Ce ne serait pas mal. Moi qui ai toujours aimé les rousses. Tu imagines la plaque sur la porte : "Executor, avocat – Céleste, hypnotiseuse".

– Whisky, encore, please ! demanda Manterola en essuyant la sueur qui coulait sous son turban.

– Tu la repeins en rouge rubis, ordonna Executor à l'un de ses contacts, dans le quartier de la Candelaria, qui, pour seulement vingt-cinq pesos, acceptait de repeindre la Packard.

– Dévaliser une banque, c'est un art, continuait San Vicente. Un art.

– Pardon, de quelle région de l'Inde êtes-vous originaire ? J'ai moi-même été en service diplomatique à Bombay, demandait un Argentin.

– Rouge, une couleur de merde, remarquait le poète en se rasant la moustache.

– On ne peut pas al'iver à notl' âge sans êtl'e amoul'eux des machines, expliquait, sans motif apparent, le Chinois à San Vicente.

– Même en te rasant la moustache, tu ne grandiras pas, poète.

– From Kuala Lumpur, I've never been in India, sir.

– Foutez le feu partout ! ordonna le colonel Gómez à deux de ses subordonnés en train d'asperger d'essence le lit et les tapis de l'appartement d'Executor.

47. Belles histoires du passé :
le cahier du poète

Je pourrais être jardinier plutôt que poète, et ne plus jamais toucher un pistolet de ma vie. On ne fait pas de poésie avec des pistolets. Ou peut-être que si.

48. Photo sur le Zocalo

Executor dépensa les derniers pesos gagnés à la loterie à faire le plein de la Packard et à acheter un appareil photo Kodak avec un rouleau de pellicule. Il écouta patiemment les instructions du vendeur d'American Photo, bien que le poète lui prétendît qu'il savait s'en servir. Il demanda à ses amis de prendre la pose devant le Palais National.

San Vicente, qui refusait énergiquement d'y figurer, fut chargé de prendre la photo.

– Je ne te savais pas si romantique, dit le journaliste à l'avocat tandis que San Vicente appuyait sur le déclencheur.

Sur la photo qui, bien des années après, doit traîner encore par là, les quatre personnages apparaissent ainsi : Executor, avec son Stetson gris perle enfoncé presque jusqu'aux sourcils, son costume gris croisé, impeccable, sans un pli, tripotant de la main gauche la bague de la main droite. A ses côtés, le poète, juché sur une petite balustrade, les bottes autour du cou, souriant, un bras sur l'épaule de l'avocat et l'autre sur celle du journaliste. L'absence de moustache lui donne un air légèrement enfantin, il semble heureux comme à Zacatecas. Manterola, avec son éternelle casquette anglaise coiffant sa calvitie, a un regard paternel de petit vieux riant d'une bonne blague ; dans un demi-sourire il mâchouille une Aguila sans filtre. A côté, Thomas Wong, qui arbore la moustache manquant au poète, ressemble à un gamin désemparé. Les mains dans les poches, il regarde d'un air de défi une aile du Palais National. Sous la chemisette blanche il fait saillir les muscles de ses bras et sa cicatrice au front brille. Derrière eux, on aperçoit la bannière mexicaine ondulant au sommet d'un mât.

La photo prise, ils allèrent attaquer la banque.

– Bonjour, c'est un hold-up, fit un petit homme masqué qui, sans se préoccuper de vérifier si les quatre clients, les employés et les policiers en faction levaient bien les mains, s'en fut directement vers les coffres-forts, une barre de fer à la main. Il chercha soigneusement le numéro de celui qui l'intéressait et commença à le forcer.

– Je crois que ce monsieur vous a déjà dit qu'il s'agissait d'un hold-up. Eh bien, je vous le confirme, lança un autre homme masqué, élégamment vêtu et coiffé d'un Stetson gris perle. Il avait un fusil à la main.

– Putain, puisqu'on vous dit que c'est un hold-up ! Mettez les billets dans de grandes enveloppes. Ni pièces de monnaie, ni or, ni argent, dit un troisième homme masqué, en bras de chemise.

– Moi, tout ce qui m'intéresse, c'est cette jolie petite boîte, ajouta le petit qui s'escrimait avec sa barre de fer.

Après deux tentatives, il laissa tomber et s'approcha du gérant.

– Regardez, j'ai ici un reçu avec le numéro de ce coffre-fort, mais j'ai malheureusement égaré mes papiers d'identité. Le reçu suffit, n'est-ce pas ? Vous m'éviteriez des efforts inutiles, fit-il en pointant un Colt .45 sur la gorge du banquier.

– C'est tout ? Et vous vous prétendez une maison sérieuse ? Merde on est où ici ? Dans une banque de bourgeois ou de crève-la-faim ? lança le masque en bras de chemise.

Avec une souplesse inattendue, il sauta par-dessus le comptoir et commença à sortir d'autres billets des tiroirs.

– Ça y est ! annonça le petit.

– Qu'est-ce que c'est ? interrogea l'homme au Stetson.

– Un document de cinq pages, plus un autre manuscrit, on dirait une sorte de contrat.

– Comme ça, c'est mieux, lança l'homme aux bras nus, cinq enveloppes gonflées de billets dans les mains.

– Moi aussi, j'aul'ais pu dil' : « C'est un hold-up ». C'est tl'ois mots sans "l", fit remarquer le Chinois tandis que la Packard roulait sur Puente de Alvarado, en direction de Tacuba.

– Et tu te serais repeint en blanc ?

– Je n'ai pas la peau si jaune que ça, avec un masque, ça poul'ait passer poul' du paludisme.

– Masque plus palu, mon cul ! Ce n'est pas sérieux !

– Lis, mais lis donc, demanda Manterola qui conduisait.

– Journaliste, es-tu sûr d'avoir ton permis de conduire ? interrogea Executor.

– C'est un plan militaire, un plan de soulèvement armé contre le gouvernement, plein de mots creux. Ça ne date pas d'aujourd'hui mais d'avril 1920. Un mois avant la rébellion d'Agua Prieta contre Carranza. Les auteurs de ce plan ont trouvé plus rapides qu'eux.

– Les noms ? Attends, ne me dis rien, je crois deviner. Gómez... commença le journaliste.

– Zevada, poursuivit Executor.

– Et Martinez Fierro, conclut le poète.

– Tout s'écl'ail'.

– 63 000 pesos. C'est quand même mieux que rien.

49. Belles histoires du passé :
Zevada, Martinez Fierro et Gómez
à Mata Redonda

Les trois colonels arrivent chacun de leur côté, un soir d'orage. Zevada et Martinez Fierro en automobile, avec une petite escorte. Gómez le dernier, à cheval, accompagné d'un lieutenant. Il se débarrasse de sa capote et entre dans le salon où les autres l'attendent en buvant du vin dans des verres en cristal taillé. Les cinq Américains sont au fond du salon. Deux d'entre eux sont avachis dans des fauteuils de velours vert, le cigare à la bouche ; un troisième, les cheveux blancs et les yeux vitreux, regarde l'orage par la fenêtre. Les deux autres discutent autour d'une table.

– Tout le monde est là, annonce Zevada, un grand, l'air vulgaire, une cicatrice en travers du menton.

– Approchez, colonel Gómez, approchez, dit William C. Green, un des Américains, directeur général de la Huasteca Petroleum Co. Je veux vous présenter le sénateur Fall et Messieurs Doheny, Sinclair et Teagle.

Gómez tend la main au sénateur, qui est le plus proche, et fait un salut militaire aux autres, des magnats du pétrole. Un claquement de talons à celui qui contrôle un tiers du pétrole mexicain ; un autre claquement de talons pour la Standard Oil of New Jersey, et un troisième pour l'homme dont la compagnie porte le nom. Trois saluts secs qui équivalent à 30% des revenus du pays à travers les impôts à l'exportation et les droits d'exploitation de 194 millions de barils de pétrole par an. Il salue ensuite de la tête ses deux collègues. A eux trois, ils garantissent la sécurité militaire de toute la région pétrolière, de la frontière texane au nord de

Veracruz en passant par les raffineries de Tampico.

– Ne perdons pas de temps, Messieurs. Il fait un temps de tous les diables et il faut que je sois demain à l'aube au campement à Panuco.

Green, qui joue les hôtes, entraîne le groupe dans un salon voisin où ils s'assoient autour d'une grande table en acajou. Le directeur de la Huasteca fait le service : du vin et des petits pâtés à la viande. En dehors des huit hommes, la propriété est déserte.

– Messieurs, quand vous voudrez... annonce-t-il.

Ils se répartissent en deux groupes ; d'un côté les militaires mexicains, de l'autre les pétroliers avec Green et le sénateur Fall.

Les trois colonels se regardent. Martinez Fierro est le plus ancien mais Gómez contrôle les principales troupes de la zone, et c'est lui qui prend la parole.

– Nous sommes prêts au soulèvement, comme nous nous y sommes engagés. Le colonel Martinez aura en charge la frontière, le colonel Zevada s'occupera de Tampico et moi de la Huasteca. Nous avons étudié les obstacles possibles et ils sont mineurs. Pour commencer, nous liquiderons le général Arnulfo Gómez et il faudra fusiller le colonel Lázaro Cárdenas à Papantla. Nous savons que vous tenez le général Pelaez. A l'annonce du soulèvement, il se rangera à nos côtés. Nous avons des hommes de confiance dans les garnisons de Reynosa, Laredo, Tampico, Pánuco, Tantocuya, Chicontepec et Tuxpan. Avec les troupes de Peláez, nous aurons cinq mille hommes en armes dès les premières heures du soulèvement.

Green traduit à Fall à voix basse l'essentiel des propos de Gómez ; Doheny fait de même pour Teagle et Sinclair.

– Bon ! continue Gómez. Supposons que Carranza envoie contre nous Pancho Murguia avec les garnisons du centre, que, depuis Veracruz, Aguilar fasse appel à Guadalupe Sanchez en personne, et qu'à l'ouest, nous ayons des difficultés avec les troupes du général Marcelo Lardon. Les rivalités entre eux à cause des élections les occuperont quelques jours. Le gouvernement ne peut pas compter sur les obregónistes et même le général Pablo Gonzalez n'est pas sûr à ce niveau. Nous pouvons en profiter. Mais même ainsi, je ne crois pas que nous puissions tenir plus d'une semaine. C'est le temps dont vous disposez, Messieurs. Si au bout de cinq jours vous n'avez pas résolu les questions politiques, vous pouvez nous déposer la somme convenue dans une banque de Los Angeles, et nous tiendrons notre prochaine conférence là-bas...

– Le sénateur Fall m'a demandé de vous annoncer ceci, répond Green. Une fois que vous vous serez soulevés et que votre plan sera rendu public, le département d'Etat, au nom de la sécurité des intérêts américains dans la zone, déclarera qu'il place la région sous sa protection. Une mesure que vous réclamerez vous-mêmes au lendemain du soulèvement, arguant que vous ne pouvez garantir la sécurité des puits et que le gouvernement menace de les dynamiter et d'incendier toute la zone pétrolière. Je crois que nous pouvons vous garantir un débarquement de marines à Tampico trois jours après le début du conflit. Il faudra alors que vous déclariez l'autonomie vis-à-vis du gouvernement central et que vous nommiez une administration chargée de la coordination avec notre corps expéditionnaire. Ces messieurs, dit-il en montrant les huiles du pétrole, feront pression sur le département d'Etat, dès le début du soulèvement, pour obtenir une intervention immédiate.

– Vous pouvez nous garantir un débarquement sous trois jours ? interroge Zevada. Je peux ouvrir la frontière de Reynosa, si c'est nécessaire.

Green s'approche de Fall et ils se mettent à discuter en anglais.

– Un débarquement sous trois jours, oui. La suggestion d'ouvrir la frontière est acceptée. Le sénateur Fall va étudier la possibilité de l'envoi immédiat d'une colonne de cavalerie.

– Qu'en est-il des termes économiques déjà évoqués ? interroge Martinez Fierro.

– Vous avez la garantie qu'en cas d'échec, cinq cent mille dollars pour chacun d'entre vous seront déposés dans une banque de Los Angeles.

– Et dans le cas contraire ?

– Nous reverserons à chacun, au taux d'aujourd'hui, 3% des droits d'exploitation et d'exportation.

– Encore un détail, Messieurs. Nous formerons un triumvirat pour la direction de la région autonome. Dès que les choses s'apaiseront, débarrassez-nous de Peláez.

– Vous avez ma parole, répond Doheny en tapant du poing sur la table.

Green ouvre un dossier vert et en sort cinq exemplaires d'un document.

– Voici le Plan de Mata Redonda, Messieurs. Je vous prie de le lire. Il y a une copie pour chacun de vous, une pour les compagnies et la cinquième pour le sénateur Fall qui en fera l'usage nécessaire.

– Avant de signer, nous exigeons une copie écrite de vos intentions et des termes économiques de notre accord. Les pétroliers se consultent entre eux en anglais. Doheny parle en leur nom.

– D'accord, mais nous ne pouvons pas nous permettre qu'en cas d'échec, tout ceci soit divulgué. Quelles garanties nous offrez-vous ?

– Il n'y aura qu'une copie et nous veillerons à ce qu'elle ne circule pas. J'enverrai demain le lieutenant qui m'accompagne la déposer dans un coffre-fort de la Banque de Hambourg à Tampico, comme si c'était des papiers de famille.

Les copies du plan circulent. Gómez, Zevada et Martínez Fierro les regardent à peine avant de les signer.

– Vous avez un nom pour le protectorat, au cas où nous l'emportons ?

– J'avais pensé à République de l'Or Noir, répond Gómez.

Green et Doheny traduisent et tout le monde éclate de rire.

50. Manterola chez le patron

Le journaliste entra sans frapper dans le bureau de Vito Alessio Robles, directeur et propriétaire de *El Demócrata*. Sans un mot, il posa sur son bureau le Plan de Mata Redonda et s'assit, attendant les réactions de son patron.

Vito Alessio, frère de Miguel Alessio Robles, secrétaire particulier du président Obregón, était ce qu'on pouvait appeler un obregóniste indépendant. En deux ans seulement, il avait fait de son journal le meilleur quotidien du pays : remarquablement autonome vis-à-vis du pouvoir central, doté d'une excellente rubrique "conflits sociaux", d'une solide information régionale, et d'un brillant service de faits divers, sans compter une très belle maquette et des titres soignés. Le tirage du journal dépassait celui de ses trois concurrents. Robles était prêt à bien rémunérer le talent de ses collaborateurs, à supporter les extravagances de certains, les manies, voire le goût immodéré de la bohème pour d'autres, en échange de sérieux professionnel et de passion. C'est pourquoi il ne s'étonna pas de voir débarquer son journaliste vedette habillé en maharadjah et se mit à lire le document.

– Et bien Manterola, qu'est-ce que vous voulez faire de ça ? demanda-t-il en levant les yeux des papiers.

– Je pense que vous avez suivi ma campagne anti-Gómez. C'est le coup de grâce.

– J'aimerais bien, avant de le publier, m'assurer que nous sommes couverts. Je vais en parler à mon frère. Les trois colonels ne sont pas les seuls impliqués. L'un d'entre eux est celui qui est mort juste en face, n'est-ce pas ?

– En effet. Il faisait sans doute chanter les deux autres.

– Cette histoire regarde le gouvernement, et concerne ses négociations avec les compagnies pétrolières. Je ne voudrais pas que l'explosion de ce scandale nuise aux intérêts du pays. Imaginez : cela pourrait servir de prétexte pour dénoncer les accords avec les quatre compagnies américaines qui voulaient organiser une révolution dans le pays et en détacher sa frange productrice de pétrole. Je me fiche des trois petits colonels, même si l'un d'eux est le chef de la gendarmerie de cette ville. Mais je ne me fiche pas du gouvernement.

– On a de quoi faire la une pendant une semaine, Monsieur.

– Tout à fait. Mais j'aimerais bien en référer en haut lieu. Si vous êtes d'accord, bien sûr. Si vous insistez, on publie tel quel. L'information vous appartient et, quoi qu'il arrive, nous sommes là pour informer. Mais j'aimerais bien voir ça au niveau gouvernemental.

– Je n'y vois pas d'objections. Vous avez besoin de combien de jours ?

– Deux, maximum, dit le directeur en regardant fixement le journaliste.

– Il y a un petit problème, Monsieur. Ce document, c'est mon assurance-vie. Tant qu'il n'est pas publié et que les deux colonels sont dans la nature, je suis un homme à moitié mort.

– Si vous restez dans les locaux du journal, je peux garantir votre sécurité.

– Et le colonel Gómez ?

– Vous serez protégé contre lui, et toute la gendarmerie de Mexico si c'est nécessaire. Vous pouvez être tranquille.

Il prit son téléphone.

– Mademoiselle, passez-moi Ericsson 7-91. Je veux parler à mon frère en personne, dites à son secrétaire que c'est une question de vie ou de mort. N'ayez pas peur de dramatiser.

– Je souhaiterais conserver l'original, Monsieur.

– Laissez-moi prendre quelques notes alors.

– Je vous en prie.

– Vous pouvez faire un petit tour à la caisse pendant ce temps. Vous n'avez pas volé votre prime.

– Je vous en remercie. Vous ne pouvez pas savoir ce que cela peut coûter cher de se promener vêtu en hindou dans une limousine de location.

Vito Alessio se mit à rire.

Et Gonzaga encore plus, lorsqu'il vit surgir Manterola avec son turban.

– Tu permets que je te dessine ?

– Va te faire foutre, gribouilleur !

– Tiens, au fait. Il y a un message pour toi. Tu as rendez-vous depuis hier soir, avec un colonel. Attends, j'ai noté ça. Le Circo Negro. Ça y est, j'ai compris ! On t'offre du boulot. Comme portier !

51. Coups de feu au Circo Negro

Une fois dans la Packard, le poète baissa son pantalon, au grand étonnement d'Executor. Avec un rasoir, il coupa le fond de la poche. Après avoir chargé le fusil, il le fixa à sa jambe droite à l'aide d'un rouleau de sparadrap, les gâchettes à hauteur de la cuisse. Il fit trois attaches : à la cheville où pointait le canon ; au genou, près du percuteur ; et en haut de la cuisse où il colla la crosse. Il remit son pantalon. La jambe raide, il mit la main dans sa poche et sentit les deux gâchettes à travers la fente.

– Impeccable. Mais il vaudrait mieux que je ne me mette pas à danser : un accident à l'entrejambe et le coup part tout seul.

– Drôlement pratique ! surtout si on est obligé de sortir en courant.

– Ne t'en fais pas pour ça. S'il le faut j'enlèverai le pantalon. Et garde ton humour. Ceci est de la stratégie.

Executor, pour ne pas être en reste, vérifia que son pistolet était chargé et le replaça dans son holster. Il emplit de cartouches les poches de son costume de lin blanc, qu'il venait d'acheter quarante pesos dans une boutique.

Le journaliste apparut au coin de la rue déserte.

– Tu ne mets pas tes lunettes ? demanda Executor à Manterola depuis la voiture.

– Ne t'en fais pas pour lui. Si ça tire, ça va tirer de près, dit le poète en s'attachant autour du cou un foulard de soie rouge. Executor se regarda dans le rétroviseur et vit des yeux sans éclat et un sourire. Ça pouvait aller. Il descendirent de la Packard et se dirigèrent vers le Circo Negro, guidés par la musique.

Le Circo Negro était à la mode parmi les connaisseurs de musique tropicale, peu nombreux à l'époque. Tous les bons danseurs des quartiers populaires fréquentaient l'endroit. Il se dressait au coin de l'avenue des Héros et de la rue des Camélias, dans la colonia Guerrero de sinistre réputation. C'était devenu la cathédrale de la *rumba*, avec pour prêtres une demi-douzaine de musiciens cubano-véracruziens, qui formaient le groupe Extasis. Une vague de bruit, de sueur et de fumée leur tomba dessus lorsqu'ils arrivèrent devant la porte.

Le cabaret avait la forme d'un tiroir : deux longs bars sur les côtés où l'on servait à boire, une estrade au fond pour l'orchestre et une grande piste de danse circulaire. Autour, deux douzaines de tables recevaient une clientèle où l'on trouvait surtout des employés, des artisans, des étudiants pauvres, des putes et des musiciens en mal de découvertes. Le groupe Extasis terminait son second set de la nuit et un mulâtre dansait pieds nus au milieu de la piste. Executor rendit leurs regards à un officier en uniforme accompagné de deux types en civil qui, assis à une table, les avaient vus entrer.

Derrière eux, le Chinois et San Vicente buvaient un verre et feignaient de s'intéresser à la rumba. Tandis que le journaliste, suivi du poète, allait droit à la table des militaires, Executor, les yeux irrités par la fumée, étudia les lieux. Aucun client ne présentait d'intérêt, excepté, à trois tables de ce qui semblait le centre de la réunion, deux hommes accompagnés d'une femme.

– Bonsoir colonel. Je suis Pioquinto Manterola, salua le journaliste en prenant la chaise que lui montrait l'officier.

Le poète qui le suivait en boitant, s'assit un peu à l'écart et, prenant une chaise à une table proche, étendit sa jambe raide. Sa botte était pointée vers l'estomac du colonel Martinez Fierro. Executor occupa la sixième chaise, à gauche du journaliste, un des types en civil à portée de tir. C'était un blond à l'air distrait et l'avocat, qui ne se fiait surtout pas aux apparences, l'avait jugé le plus dangereux des deux.

– Deux de mes amis, Monsieur Manterola, dit le militaire en désignant ses compagnons.

– L'avocat Alberto Executor et le poète Fermin Valencia, deux grands amis à moi, répondit le journaliste.

– Vous prendrez quelque chose ?

L'officier, un homme d'une quarantaine d'années, très brun, les yeux enfoncés et brillants malgré l'obscurité qui régnait dans le cabaret, offrit du mezcal et de la tequila et remplit des verres autour des bouteilles. Manterola fit non de la tête. Le poète refusa très poliment. Executor accepta un verre. S'ils risquaient quelque chose, ce n'était pas un empoisonnement. L'orchestre termina de jouer un air de fanfare. Executor applaudit et observa ceux qui n'applaudissaient pas. Il ajouta à la liste des cibles probables un type qui se tenait au bar, quelques mètres derrière lui, la tête entre les mains.

– Messieurs, je ne vous ferai pas perdre votre temps. Vous êtes en possession d'un document, ou vous savez du moins où il se trouve. Des représentants de l'Aguila me l'ont volé. J'ai essayé de les empêcher de le faire circuler, mais il y a eu un problème. Il m'appartenait à moi, pas à eux, et il n'aurait jamais dû être conservé. Tout ce que je souhaite à présent, c'est qu'on oublie tout ça. Vous vous occupez de vos affaires et vous me laissez m'occuper des miennes. En somme, je vous propose la paix.

– Et de quelles affaires s'agit-il, colonel ?

– Je t'ai dit que c'étaient les miennes, connard ! T'as pas compris ?

« Ça se gâte », se dit le poète. Faisant semblant d'être mal installé, il bougea sa patte folle de façon à la pointer vers la tête du colonel. Puis il mit la main droite dans sa poche et caressa les gâchettes du fusil.

– Qu'est-ce que vous nous offrez en échange ? demanda le journaliste qui commençait à avoir les mains en sueur. Il savait que la peur était capable de le paralyser et qu'il n'avait pas de temps à perdre.

– Je ne suis pas Gómez. Je n'ai pas d'argent pour arroser tous les imbéciles que je rencontre. J'ai tué un des Anglais. Vous vous en êtes mêlés. J'ai engagé trois connards pour vous faire la peau, mais ils tiraient mal. Ce ne sera pas toujours le cas et ce ne sont pas les *pistoleros* qui manquent, et pour pas cher. Je vous offre de sauver votre peau, Messieurs. C'est tout. C'est vous qui connaissez sa valeur. Vous voulez de l'argent pour quoi faire ? Le laisser en héritage ?

– Si j'ai bien compris, vous exigez notre silence en échange de notre vie ? Drôle d'arrangement, n'est-ce pas Executor ? Un colonel vendu aux *gringos*, prêt à leur céder un bout du pays, nous offre la vie sauve. Eh bien c'est non, mille fois non.

– Tu permets, Manterola ? demanda le poète.

– On vous écoute, Monsieur Valencia.

– Ce colonel de merde nous prend pour des cons. Des pédés comme lui, je n'en voudrais pas pour me lécher les bottes. Et encore moins la bite.

– Bien envoyé, poète ! murmura Executor en envoyant son bras vers le blondinet distrait qui sortait un pistolet de sous la table.

Ce qui ne suffit pas pour éviter le premier tir qui fit voler son Stetson et lui érafla le cuir chevelu qui commença à saigner. Il porta la main gauche à son pistolet mais avant qu'il ait pu dégainer, Valencia avait déchargé son fusil de chasse sur le colonel Martinez et son autre compagnon, ils prirent en pleine tête les chevrotines qui s'éparpillèrent ensuite dans le cabaret.

Le journaliste roula au sol au milieu des cris, au moment précis où résonnaient les deux coups de fusil du poète. On aurait dit des coups de canon. Executor se retourna, cherchant des yeux le type du bar qui était en train de sortir un Colt et de viser le journaliste. Il tira trois fois et le vit s'effondrer. Il vit également un éclair jaillir du pistolet du blessé. Des copeaux volèrent de la table renversée. Le Chinois, le couteau à la main, observait les deux hommes de la table voisine qui se contentèrent de lui sourire. Le canon du .38 de San Vicente était pointé sur leur estomac.

Un autre combat se déroulait au sol. Le *pistolero* blond avait tiré deux autres coups mais le journaliste eut la chance de lui perforer l'épaule. Executor chercha désespérément du regard d'autres mouvements menaçants. Le silence se fit petit à petit. Thomas s'avança et écarta d'un coup de pied le pistolet du blondinet. Le poète faisait des bonds, essayant d'éteindre sa jambe de pantalon toute fumante.

– Et merde ! Un peu plus et je transformais mes orteils en bouillie, dit le poète à qui voulait bien l'entendre.

Executor s'approcha des cadavres du colonel et de son garde du corps. Les chevrotines les avaient défigurés. Le visage du colonel était une tache informe de sang et de débris d'os. Sans pouvoir se retenir, il se mit à vomir sur les cadavres. Manterola se leva et remit ses lorgnons. Il avait les mains tremblantes. Tout le monde était assis, sauf lui et ses quatre compagnons. Quelqu'un sanglotait derrière une table. En dehors des nausées d'Executor, c'est tout ce qui rompait le silence. Pour une fois, il regretta la rumba.

52. Partie de dominos sur un piano

Dans le garage de la Candelaria où ils passent leurs nuits à côté de la Packard rouge rubis, il y a un piano déglingué sur lequel Executor joue les *Polonaises* de Chopin, l'une après l'autre, pour le plaisir et l'étonnement du poète qui travaille en silence, assis sur la banquette arrière, la portière ouverte. Il prend des notes en vue d'offrir ses services à la compagnie Stuart, dont l'actuel slogan publicitaire lui semble désastreux. *« Stuart guérit les hémorroïdes, une maladie très progressive. »*

— Bonsoir, camarades, lance Manterola en franchissant la porte métallique en compagnie du Chinois.

— Nous sommes au complet. Tu as apporté les dominos ?

— Bien sûr, mais continue à jouer, Executor, nous ne sommes pas pressés.

— Il ne nous manque que la table, remarque le poète. Et ton ami, Thomas ?

— Il l'éfléchit, Fel'min. Il voulait fail'e le point. Savoil' si tout ce qu'il a fait cette semaine à cause de nous col'espond bien à ses pl'incipes.

— Et qu'est-ce qu'il va décider ?

— Je pense qu'il tl'ouvel'a qu'on a eu l'aison. A notl'e façon, et de manièl'e indil'ecte, on s'en est pl'is à l'Etat, non ?

— Des militaires, des flics, une banque. Ce n'est pas mal, répond le poète en approchant trois chaises boiteuses du piano.

— On joue sur le piano ?

— Oui, dès qu'Executor en aura fini avec Chopin.

– Même moi, je n'en ai jamais fini avec Chopin, répond l'avocat en refermant le couvercle.

– Il y a une réponse du journal ? interroge le poète.

– Pas encore. J'ai téléphoné mais le directeur est sorti. Merde ! Ils vont refuser de publier. On m'a dit qu'il y avait des gendarmes dans la rue. En plus, Gómez a convoqué des journalistes pour une conférence de presse. Mais personne n'y est allé.

– Cette solidarité de tes confrères est tout à ton honneur, dit Executor en souriant.

Sans Chopin en musique de fond, les voix résonnent dans le garage.

– Les gendal'mes qui ne sont pas à ton joul'nal sont à San Angel. Tout le qual'tier est bouclé.

– La grève va éclater ?

– Dès demain, s'ils ne l'elâchent pas Mal'quez, dit le Chinois, plongé dans ses pensées.

– S'ils ne publient rien, qu'est-ce qu'on décide ? On va tous les quatre se faire Gómez ? interroge le poète.

– S'ils ne publient rien, cela signifie que le gouvernement ne veut pas en finir avec Gómez, qu'il le protège. Alors, ce que nous ferons, ça n'a pas d'importance, parce que la ville sera trop petite pour nous cacher. Ils vont nous traquer comme des rats.

– Qu'est-ce qu'ils ont à gagner en le protégeant ?

– La police est une mel'de.

– C'est une évidence, illustre fils du Soleil Levant. Pas besoin d'être anarchiste pour être d'accord. Mais je n'y comprends rien. La police est une merde qui a ses règles.

– Tu sais quoi, journaliste ? Moi non plus, je n'y comprends rien. En plus, tout est loin d'être tiré au clair. Nous savons qui nous a envoyé les *pistoleros*. Mais qui a voulu t'empoisonner ?

– Gómez, probablement.

– Et pourquoi a-t-il tué les Zevada ?

– J'ai une explication, dit Executor. Zevada, c'est l'imbécile de cette histoire. Après Agua Prieta, ils n'étaient plus en mesure de mener à bien leur projet de soulèvement. Le rapport de forces avait changé. Les tensions entre obregónistes et Carranza avaient disparu puisque le vieux avait cassé sa pipe. A San Luis Potosi comme à Monterrey, Obregón pouvait compter sur des généraux loyalistes. Il était trop tard. Gómez est monté dans le wagon des vaincus mais il s'est lancé dans de nouvelles affaires à Mexico. Martinez Fierro a gardé un commandement. Mais Zevada, moins malin, s'est retrouvé au chômage. Il a dû essayer de faire chanter Gómez, qui l'a d'abord payé en bijoux, puis lui a offert un baptême de l'air du deuxième étage.

— Tu tiens vraiment, poète, à savoir ce qui s'est passé ? Mieux vaut croiser les doigts pour que l'affaire soit publiée, interrompt Manterola en esquissant un bâillement.

Les journées ont été longues, les nuits courtes et agitées. La peur rôde toujours autour d'eux.

— Je me rends. Sortons les dominos et tirons les équipes.

— Six-un, dit Manterola.

— Six-quatre, dit Executor.

— Double-quatre, dit Thomas.

— Un-trois, dit Valencia.

53. L'honneur d'un colonel
et la mort d'une veuve

– *El Demócrata*, service des faits divers, Manterola à l'appareil, lança le journaliste dans le combiné.

– Manterola, ici le colonel Gómez ! répondit une voix caverneuse. Je vais vous donner une dernière chance, même si je ne devrais pas. Vous avez souillé mon honneur. Battons-nous en duel. Vous et moi, d'homme à homme, à visage découvert. Sortez de l'ombre...

– Quel honneur ? répondit le journaliste après un instant de silence. Vous pouvez vous mettre le téléphone dans le cul, colonel !

Il raccrocha et fixa l'appareil. Il se rendait compte qu'il lui fallait conserver précieusement en mémoire cette voix et ces quelques mots. C'était tout ce qu'il possédait de son ennemi, son seul contact avec l'homme qui avait transformé sa vie en « histoire racontée par un idiot », comme disait Executor.

– Eh bien, eh bien ! fit Gonzaga qui passait, comme dans les nuages. Tu as de drôles d'amis.

Manterola ne répondit pas au dessinateur. Il se concentra sur son clavier, comme un écrivain saisi par le feu sacré. Ses doigts écrasaient les touches. Il n'avait pas de temps à perdre. C'était un professionnel et même si sa présence à la rédaction était d'abord justifiée par l'attente de la décision du directeur, il lui fallait, en bon professionnel, rendre sa copie quotidienne.

C'est pourquoi il se lança dans une sombre histoire à propos de rumeurs en provenance de Durango, Pancho Villa aurait quitté sa retraite, l'*hacienda* de Canutillo, pour repartir à la chasse au trésor. Gonzaga, qui lisait par-dessus son épaule, commença à dessiner Pancho

Villa au fond d'une grotte, éclairé par la torche de l'un de ses aides de camp et agenouillé devant un coffre dont il sortait des pièces d'or.

La rédaction était plongée dans l'agitation du bouclage de la première édition. Baston relisait à toute vitesse les éditoriaux lui parvenant du bureau du directeur. Deux reporters du service informations générales travaillaient sur la une qui comportait deux titres principaux. Le premier sur les déclarations d'Adolfo de la Huerta, ministre des Finances, à son retour de New York où il avait négocié avec des banquiers ; le second à propos de la grève générale décrétée par les ouvriers du textile de San Angel en réponse à l'arrestation de Marquez par la gendarmerie.

Brusquement, une douce odeur de violettes se répandit sur le clavier et le journaliste, rajustant ses lorgnons, eut devant lui Margarita Herrera, veuve Roldán.

– Vous permettez que je vous parle ? demanda la veuve, attentivement observée par Gonzaga.

– Un moment, et je suis à vous, madame, répondit le journaliste.

Il continua à taper comme un furieux. Il sentait les yeux de la jeune femme vrillés dans son dos. Quand il ôta le dernier feuillet pour le corriger, un mouvement inhabituel à l'entrée de la salle de rédaction lui fit lever la tête.

– Pute, sale putain ! hurla Ramón l'Espagnol en s'avançant vers la veuve, un couteau à la main.

Manterola tenta de s'interposer, mais il avait devant lui le bureau et Gonzaga. La jeune femme se leva, ou du moins essaya, mais les jambes lui manquèrent. En retombant sur la chaise, elle reçut deux coups de couteau à la poitrine. Manterola, en trébuchant, arriva à agripper un bras de la jeune femme qui s'effondrait. Il ne fit pas attention à l'Espagnol qui tenta en vain de lui porter un coup de sa lame ensanglantée. Gonzaga s'était reculé pour mieux capter la scène dans tous ses détails et la dessiner. C'était le moment de saisir l'insaisissable.

Heureusement pour le journaliste, Rufino, le coursier du journal, atteignit l'Espagnol en pleine tempe avec un presse-papiers en bronze. Ramón tomba foudroyé.

– Je meurs, Monsieur. Je regrette de ne pas vous avoir connu plus tôt, disait la veuve dans les bras du journaliste.

La chemise de ce dernier s'imprégnait du sang qui sortait du sein de la jeune femme et faisait une grande tache rouge sur son corsage blanc.

– Il y a des amours absurdes, condamnés comme le nôtre, disait le journaliste qui ne trouvait rien d'autre à dire.

La jeune femme ouvrait la bouche, essayant d'aspirer un air qui n'arrivait déjà plus à ses poumons.

Toute la rédaction s'était réunie sur le lieu de la tragédie. Comme à une veillée funèbre, les collègues de Manterola, en bras de chemise, la cigarette éteinte entre les dents, rendaient les derniers honneurs à une veuve empoisonneuse de son mari, concubine d'un colonel corrompu, qui venait d'être assassinée par un Espagnol voleur de bijoux et mourait dans les bras d'un journaliste de faits divers qui aurait voulu pouvoir l'aimer.

– Manterola, le type au couteau est mort ! Tu l'as eu avec le presse-papiers, Rufino. C'est rudement bien visé, résuma Valverde, le stagiaire du service des sports qui avait fait deux ans de médecine.

Gonzaga, agitant ses crayons et ses fusains comme un prestidigitateur, dessinait la scène, luttant contre les ombres du soir qui obscurcissaient le visage ensanglanté de la veuve défunte.

54. Le crime de San Angel

Tout était parti de Santa Teresa. Deux nuits auparavant, trois policiers avaient, sur les instructions de Julio
Imbert, gérant de l'usine, enlevé Julio Marquez, secrétaire du Syndicat de l'Industrie Textile. A six heures du
matin, un flot d'ouvriers se déversa dans les bureaux
d'Imbert, lui réclamant la libération de Marquez,
l'insultant et le menaçant de représailles. Imbert sortit
un pistolet de son bureau mais fut désarmé. L'usine et
les métiers à tisser s'arrêtèrent. Un groupe de travailleurs sortit dans la rue avec des barres à mine et
commença à frapper en cadence les lampadaires.

Au signal des coups métalliques, toutes les usines de
Contreras s'arrêtèrent. Les ouvriers de La Magdalena,
de La Alpina et de La Hormiga cessèrent le travail et
sortirent dans la rue, en frappant à leur tour sur les lampadaires.

Ils étaient cinq cents au sortir de Santa Teresa et cinq
mille en arrivant à Tizapan.

Thomas qui dormait dans la charbonnerie se réveilla
en entendant les coups assourdis des barres à mine sur
les poteaux.

– Qu'est-ce qui se passe ? demanda San Vicente en
sautant du lit.

– C'est la gl'ève génél'ale. Tu n'entends pas le
signal ?

– Je ne connaissais pas le système. Putain ! on est drôlement modernes !

Marie prit la main du Chinois et la serra doucement.

– Fais très attention, les gendarmes sont partout.

– On est plus nombl'eux qu'eux, tu n'entends pas ?

Thomas, enveloppé dans un manteau, un énorme chapeau de paille sur le visage et San Vicente, la figure dissimulée par une écharpe, rejoignirent la manifestation alors qu'elle descendait Puente Sierra. Ils cherchaient quelqu'un susceptible de leur donner des informations, quand un incident se produisit à l'avant. Les manifestants de Santa Teresa tombèrent sur Imbert et quatre flics en civil dans une voiture. Ils lancèrent des pierres sur le véhicule et capturèrent le gérant de l'usine, qui reçut un coup au visage. En criant, ils exigèrent de lui qu'il les accompagne à la mairie de San Angel pour y donner l'identité des auteurs de l'enlèvement de Marquez.

Thomas et San Vicente, accompagnés de leurs amis Paulino Martinez et le négro Hector tentèrent de se frayer un chemin vers la tête du cortège que conduisaient, déchaînés, les travailleurs de Santa Teresa.

A huit heures cinq, au pont d'Ansaldo, cinq gendarmes menés par un sergent et accompagnés de cadres de l'usine, essayèrent de libérer le gérant. Les manifestants répondirent à coups de pierre. Les gendarmes tirèrent en l'air.

San Vicente porta la main à la poche de son manteau. Thomas l'arrêta.

– Si on l'épond, ils aul'ont un pl'étexte poul' til'er sul' la manifestation. L'este tl'anquille !

L'Espagnol approuva. La tête du cortège lança une nouvelle bordée de cailloux contre les gendarmes qui décampèrent.

A huit heures et demie, près de sept mille manifestants arrivèrent à la hauteur du *zocalo* de San Angel où les attendaient deux escadrons de gendarmerie montée. Imbert tenta de s'enfuir et reçut une pierre au coude. Les gendarmes tirèrent des coups de semonce. Thomas tenta de s'ouvrir un chemin mais ne put écarter la multitude coincée dans une ruelle. Les premiers rangs pénétrèrent sur le *zocalo*. Il grimpa sur le rebord d'une fenêtre et, agrippé à la grille de protection, tenta de voir ce qui se passait sur la place. Les gendarmes, sur deux files, protégeaient l'entrée de la mairie. Derrière eux se trouvaient deux officiers à cheval. Thomas reconnut le colonel Gómez, le corps et le visage tendus, rigide sur sa monture. Il était en train de crier des ordres. Devant la poussée des manifestants, les gendarmes reculèrent vers la place San Jacinto. La manifestation voulait absolument arriver jusqu'à la mairie pour forcer Imbert à faire sa déclaration.

L'élan de ceux qui débouchaient des ruelles entraîna la tête du cortège vers San Jacinto. Quatre ou cinq cents manifestants à peine étaient entrés sur l'autre place quand les gendarmes tirèrent leur première salve. Six ou sept ouvriers tombèrent, la foule reflua. San Vicente et Thomas essayèrent de s'approcher, mais c'était à présent presque impossible.

– C'est Gómez, tu as vu ? C'est lui qui donne les ol'dl'es.

– On va se le faire.

A cet instant précis, les gendarmes tirèrent une seconde salve, et la place San Jacinto fut jonchée de corps. Quelques manifestants tentèrent de répondre, mais les pierres ne pouvaient pas grand-chose contre les Mausers. Thomas fut traîné sur plusieurs mètres. Mais San Vicente put se mettre à couvert derrière un arbre, sortit son pistolet et tira sur le colonel. La balle fit éclater une fenêtre juste derrière lui.

L'officier chercha des yeux d'où était parti le coup de feu. Une troisième décharge balaya la place presque déserte.

Le colonel fit cabrer son cheval et s'éloigna vers l'autre extrémité. San Vicente prit dans ses bras un gamin de dix ou douze ans qui avait une blessure à la jambe, et recula, pistolet à la main en regardant le premier rang des gendarmes.

Thomas l'aida à se réfugier sous un porche. Petit à petit, des manifestants s'approchèrent des victimes, sous les canons des fusils pointés sur eux. Il y avait deux douzaines de blessés sur la place dont neuf grièvement atteints. Deux d'entre eux, Emilio Lopez, un vétéran du textile et Florentino Ramos, un ouvrier qui avait reçu deux balles dans l'abdomen, devaient décéder quelques heures plus tard.

Les cloches des ambulances de la Croix-Rouge et la Croix-Blanche se firent entendre, déchirant le fragile silence. Avec l'écharpe de San Vicente, Thomas posa un garrot au gamin évanoui .

Un nouvel escadron de gendarmes pénétra à cheval sur la place et s'avança vers les rues par où, cinq minutes plus tôt, étaient arrivés les manifestants.

– Tirons-nous, Thomas, les rafles vont commencer.

– C'est poul' ça qu'ils gal'dent Gómez. Ils en ont besoin poul' fail'e le sale boulot.

– Putain de bordel de merde, je l'avais au bout du canon et le cheval a bougé. Merde, quel con ! Je mériterais qu'on me coupe la main.

– On va se le fail'e, Sebastian. Il a dû aller à la casel'ne de Pel'edo fail'e son l'appol't. C'est le qual'tier génél'al de la gendal'mel'ie.

– On ne pourra pas passer.

– On va se le fail'e, Sebastian. Ça n'a l'ien à voil' avec l'autl'e histoil'e. C'est une affail'e entl'e Gómez et nous. Et nous, c'est aussi eux, ajouta-t-il en désignant les corps qui jonchaient la place San Jacinto.

J'aurais voulu monter sur tous les bateaux que j'ai chargés, tous les bateaux dont j'ai aidé les passagers à descendre, portant leurs malles couvertes d'étiquettes multicolores : hôtels, douanes, chemins de fer. J'aurais voulu aborder sur ces jetées blanches qui brillent au soleil. Et partir.

Je ne suis pas d'ici. Je ne suis pas de la terre où je suis né. Dans la vie on apprend – apprend qui veut – que personne n'est de là où il est né, où il a grandi. Personne n'est de nulle part. Certains tentent d'entretenir l'illusion, à coups de nostalgie, de propriété, d'hymne et de drapeau. Mais nous appartenons tous aux lieux où nous n'avons jamais été. Si la nostalgie existe, c'est pour les choses que nous n'avons jamais vécues, les femmes que nous n'avons pas eues, les amis que nous n'avons pas encore, les livres que nous n'avons pas lus, les nourritures fumantes dans des marmites jamais goûtées. C'est la seule, l'unique nostalgie.

On apprend aussi qu'à un certain moment, le chemin a dévié et que les choses ne sont pas comme elles devraient être. Personne ne devrait être obligé de manger du riz aux charançons et du maïs presque pourri sur les champs pétrolifères, en payant trois fois plus cher parce que les magasins sont tenus par les compagnies. Personne ne devrait être obligé d'aller, sous des torrents de pluie, refermer les valves du puits numéro 7. De barboter dans la jungle avec des tuyaux, de forer dans des marécages, de poser des explosifs, de dormir sur le sol mouillé, de gagner une misère pendant que le contremaître mange du jambon et du beurre tirés de boîtes de conserve que nous avons portées sur nos dos.

Et le patron, plus loin de nous encore, qui dort dans un lit sans nous connaître, sans nous reconnaître comme la source de son plaisir et de son pouvoir, qui ne devine pas l'existence des fourmis qui portent sur leurs épaules le cours de ses actions à la bourse de New York.

C'est pour cela que je ne veux pas monter sur ces grands bateaux blancs et brillants, parce qu'il me faudrait, pour payer mes rêves, travailler onze heures par jour comme garçon de cabine, astiquer les bastingages de bronze poli, suer dans la vapeur des cuisines. C'est pour cela que les bateaux sont loin, et que je les vois arriver et partir de tous les ports, de tous les rêves, de toutes les nostalgies.

56. Un jour quelqu'un racontera tout ça

Au milieu de la matinée, des nouvelles de la fusillade de San Angel commencèrent à arriver à la rédaction. Manterola, qui avait passé la nuit sur un fauteuil dans l'antichambre du bureau du patron, tournait dans la salle, sans oser proposer ses services mais avide de récolter toute bribe d'information : bulletins de la Croix-Rouge et de la Croix-Blanche, déclaration de Gasca, le gouverneur de Mexico, appel à la grève générale pour le jour suivant émis par le bureau fédéral de la CGT, récits de ses deux collègues qui avaient interviewé des blessés et des manifestants. Une déclaration de la municipalité de San Angel soulignait le caractère pacifique de la manifestation et rejetait sur la gendarmerie la responsabilité des violences.

– Manterola, le patron te demande.

Il arpenta les couloirs, l'air dégoûté. En passant devant la fenêtre d'où il avait vu tomber le colonel Zevada, il observa un camion de gendarmes devant l'immeuble. Pendant la nuit, Ruiz, le spécialiste des affaires municipales, lui avait murmuré en secret qu'il devait faire attention à lui. Selon une rumeur, les gendarmes avaient reçu l'ordre de le tuer sous n'importe quel prétexte et Gómez avait mis sa tête à prix. Le capitaine Palomera avait même parié que c'est lui qui gagnerait.

Au petit jour, deux agents de la police secrète qui surveillaient l'entrée du journal (Alessio Robles avait pour le moins tenu sa promesse d'assurer sa protection), avaient arrêté un individu armé qui se prétendait commerçant et qui disait vouloir faire passer une petite annonce. Ils l'avaient embarqué, malgré ses protestations, parce qu'il n'avait pas de papiers sur lui. Un des policiers avait cru reconnaître dans son visage mangé de tics les traits d'un truand connu.

– Je vous écoute, Monsieur le directeur.

– Le capitaine Martinez a sollicité quelques minutes d'entretien avec vous. Je ne vois pas pourquoi nous ne lui donnerions pas satisfaction, dit Vito Alessio.

Martinez, l'ex-maçon de la clinique, était assis dans un fauteuil en cuir. A côté de lui, un type en civil avec un anneau à l'oreille et une bosse caractéristique sous sa veste noire, semblait tenir toute la pièce en respect.

– Manterola, souvenez-vous que la décision finale vous appartient. Si vous voulez publier l'affaire, je tiendrai ma promesse, même si cela doit signifier la fin du monde. Je ne suis pas devenu directeur de journal pour trahir mes journalistes.

– Je vous en remercie, Monsieur.

Vito Alessio eut un sourire et quitta le bureau en fermant doucement la porte derrière lui.

– Vous ne connaissez pas mon ami le Gitan, n'est-ce pas Manterola ?

– Non, capitaine. Mais j'avais entendu parler de lui.

Le Gitan salua de la tête. Manterola se dirigea vers le bureau du directeur et s'assit à la place du patron. Il y avait des papiers dessus et une photographie des trois frères : le directeur d'*El Demócrata*, le secrétaire particulier du Président et un troisième, un officier, qui était mort dans des circonstances mystérieuses, criblé de balles à l'intérieur d'une voiture.

– Quelles mauvaises nouvelles avez-vous pour moi, Capitaine ?

– J'ai besoin du document et de votre silence.

– Au nom de qui me demandez-vous ça, capitaine ?

– Au nom du Gouvernement de la République, Monsieur le journaliste. Dans sa bouche, les mots "gouvernement" et "république" évoquaient le sang et la gloire.

– Le gouvernement a-t-il pris connaissance du

233

contenu du Plan et des notes annexes sur le prix payé au colonel Gómez et à ses amis ?

– Il en a pris connaissance. Et hier une copie du Plan a été adressée au gouverneur de Tampico par la compagnie anglo-hollandaise Aguila.

– Si j'ai bien compris, le gouvernement refuse de rendre public le fait que les compagnies pétrolières américaines aient voulu financer une sécession de notre pays pour s'assurer le contrôle de ses zones pétrolifères ?

– Oui, il refuse. En tout cas, pour le moment. Je suppose que vous en comprenez les raisons.

– Tout ce que je comprends, c'est que le gouvernement est mal barré. Si le directeur de ce journal tient parole, toute l'histoire sera publiée demain.

– Cela m'étonnerait, Monsieur le journaliste.

– Vous allez me tuer ?

– Certainement pas. Je peux même vous dire, en outrepassant mes ordres, que nous avons du respect pour vous.

– Alors, capitaine ?

– Je vais vous échanger les documents contre quelque chose de beaucoup plus précieux pour vous. Il y a deux heures, des agents de la police secrète ont arrêté un Chinois et un Espagnol qui venaient de commettre un attentat contre le colonel Gómez dans la caserne de Peredo.

– Ils l'ont eu ? demanda le journaliste en se levant de son siège.

– Non. Et je le déplore. Cela aurait arrangé les affaires de tout le monde. Gómez s'en est sorti avec un bras cassé et des contusions ; ils lui ont tiré dessus alors qu'il descendait un escalier et il a dévalé les marches. Selon le dernier rapport en ma possession, il semble en outre qu'il perde son œil gauche, qui a été gravement brûlé.

– Thomas et Sebastian ?

– Ils ont pris quelques coups, mais ils vont bien. Les agents de la police secrète les ont sauvés des gendarmes qui allaient les fusiller. Ils sont entre mes mains et je vous les échange contre le Plan et les documents, Manterola. Si vous m'obligez à aller plus loin, je peux également vous dire que mes hommes ont cerné un garage de Candelaria. J'ai l'autorisation de le mettre à feu et à sang pour arrêter les assassins du colonel Martinez Fierro.

– Ce sont mes deux amis qui vont tout mettre à feu et à sang si vous donnez l'assaut.

– Sans aucun doute, mais si nécessaire, j'installe une mitrailleuse devant la porte. Vous êtes inconscient, Manterola, ou quoi ? Ce sont des instructions qui viennent de tout en haut. Au besoin, je peux même déployer deux régiments de dragons à cheval, de l'infanterie mobile et même de l'artillerie. Allez, trêve de plaisanteries ! Le Plan et votre silence en échange de la liberté et la tranquillité pour vous et vos amis.

– Et Gómez ?

– Vous voulez dire le colonel Jesus Gómez Reyna, notre nouvel attaché militaire à Madrid ? Il embarque ce soir à Veracruz. L'air marin facilitera sa convalescence.

– Putain de merde, je vous emmerde tous ! dit le journaliste. Bon, dans le troisième bureau en sortant dans le couloir, sur ma table, vous trouverez une enveloppe de papier kraft à en-tête d'une compagnie théâtrale. Vous y trouverez ce que vous cherchez, capitaine.

– Je n'en attendais pas moins. Je suppose que je peux compter sur votre silence.

– Un jour, quelqu'un racontera tout ça.

– J'espère que ni vous ni moi ne vivrons ce jour, journaliste.

Manterola, le regard perdu dans les papiers du directeur, ne les vit pas sortir du bureau. Il se sentait vieux et fatigué. Il aurait voulu que l'ultime décision leur revienne à tous les quatre, autour d'une table de dominos. Il aurait voulu voir en majuscules, sur huit colonnes, l'histoire des colonels Zevada, Martinez Fierro et Gómez, à la une des faits divers, ou même en première page. Gómez. Il ne gardait de lui que le vague

235

souvenir d'une voix au téléphone parlant de son honneur. Pas assez pour le haïr. La haine était chez lui un exercice excessivement rationnel. Combien d'autres, dans le genre de Gómez, vendaient-ils la patrie pour un tas de billets verts ? Combien d'autres dans le genre de Gómez, barbotant dans le sang, faisaient-ils des affaires et des trafics grâce à la Révolution ?

Mais Gómez lui appartenait à lui. A lui et au poète, à l'avocat et au Chinois. Et même, par un bout, à San Vicente. *A présent oui, nous sommes l'Ombre de l'ombre*, se dit-il, les yeux fixés sur la porte fermée.

57. Partie de dominos

Dans le bar au rez-de-chaussée de l'hôtel Majestic, un coucou chante une heure du matin. Eustachio, le barman, contemple, rasséréné, la table de marbre où l'on joue aux dominos. Tout est en ordre, pense-t-il tandis qu'il éteint les lumières des autres tables, ne laissant qu'une ampoule solitaire au-dessus de la table centrale, seul halo au milieu de l'obscurité irréelle où est plongé le reste de la salle. De la table monte le bruit des rectangles d'ivoire qui claquent sur le marbre. Une automobile passe dans la rue ; un cheval hennit et fait sonner ses fers sur le goudron.

– Quel dommage que ton ami San Vicente n'aime pas les dominos. J'ai beaucoup de sympathie pour lui, dit l'avocat Executor.

Le rebord de son chapeau intercepte la lumière et plonge son jeu dans l'ombre.

– Il doit êtl'e quelque pal't, dans les ténèbl'es, avec son pl'ojet de joul'nal, précise Thomas Wong en plaçant le trois-deux. Il n'est pas comme moi. Il ne pel'çoit pas les affinités entl'e l'anal'chie et les dominos.

– Et toi, cher poète, as-tu lu la lettre de remerciements que nous a envoyée le président de la République ? Elle est restée dans ma veste, au portemanteau.

– Manterola, tu sais que je déteste être prosaïque. N'empêche que si monsieur le président de la République n'était pas manchot, sa lettre, il pourrait se torcher des deux mains avec !

– Putain de pays, Messieurs ! fait Manterola en se grattant la cicatrice derrière l'oreille avant de placer soigneusement sur la table le double-trois.

Post-scriptum

Tout au long de ce récit, les personnages fictifs se sont mélangés à des personnages et à des situations surgis de la réalité. Pour satisfaire quelques curiosités, je voudrais ajouter que :

Les quatre personnages centraux relèvent de la fiction, et j'ai déjà raconté une de leurs aventures dans *Mexico, histoire d'un peuple, tome XX*. La fresque murale de Fermin Revueltas a été achevée dans les temps, malgré les agressions estudiantines. On peut la voir aujourd'hui sur les murs de San Idelfonso, bâtiment universitaire.

Sebastian San Vicente fut déporté pour la seconde fois en 1923, suite à sa participation à la grève héroïque des conducteurs de tramway. J'ai recueilli dans deux ouvrages des éléments de sa brève biographie mexicaine. Il semble que quelques années plus tard, il soit mort en Espagne, combattant anarchiste de la guerre civile.

En 1926, criblé de dettes, *El Demócrata* disparaissait, après avoir été vendu par l'équipe qui l'avait lancé. Deux ans plus tôt avait disparu *El Heraldo de Mexico*, le journal du général Alvarado. La mort des deux meilleurs journaux que ce pays ait jamais eus, entraîna la décadence du journalisme de faits divers. *La Prensa*, en 1930, a recueilli une partie de l'héritage, sans jamais retrouver la grâce, l'élégance et le brillant de ses prédécesseurs. Le journaliste qui a inspiré le personnage de Pioquinto Manterola est mort de tuberculose, un an avant la disparition de son journal.

La rue Dolores s'est adaptée au changement. Les triades l'ont abandonnée (c'est du moins ce que l'on croit) après les campagnes intensives menées par la revue *Sucesos* dans les années 30.

Les anarcho-syndicalistes du sud de Mexico gagnèrent leur grève et beaucoup d'autres jusqu'en 1926, avant que la répression ne les décime.

Le soulèvement d'un militaire – le général Martinez Herrera –, aux ordres des magnats du pétrole, a bel et bien eu lieu, un an après l'époque où s'achève ce roman. Les compagnies pétrolières ne cessèrent pas leurs pressions sur le gouvernement mexicain, en dépit des accords de Bucareli, signés en 1923. Le dénouement de cette turbulente histoire est connu de tous[1].

La publicité pour les médicaments, très en vogue après la Révolution, évolua à mesure que les villes se peuplaient de médecins. En 1930, le nombre moyen des réclames "médicales" dans un quotidien avait chuté de cent dix à cinq par jour. Le système des visiteurs médicaux s'était mis en place, et l'offensive publicitaire avait pris les médecins pour cible.

L'Araignée, le Café de Paris, El Circo Negro ont disparu, tout comme beaucoup d'autres boîtes, cafés ou restaurants, remplacés depuis par d'autres, semblables ou pires.

Le banditisme est sorti de la marginalité. Il cohabite avec la loi, il a perdu son exotisme et est devenu une institution à l'intérieur de la police.

Les fanfares militaires ne jouent plus gratuitement dans les jardins publics , la grève des locataires fut un échec et ne modifia pas la loi sur les loyers ; la gendarmerie a disparu et a été remplacée par le corps des *grenadiers*. On ne fabrique plus de Packard blindés, il n'y a plus de beaux paquebots à Veracruz et Tampico, le cirque Krone n'est pas revenu à Mexico depuis 1928. Les villages de Tlalpan et San Angel ont été avalés par la ville.

La Révolution a débouché sur le pouvoir de la bou-

1. En 1939, le général Lazaro Cardenas, président de la République, finit par décréter la nationalisation du pétrole. (N. d. T.)

geoisie. Il n'y a plus de courses sur l'hippodrome de la Condesa. D'ailleurs, il n'y a plus d'hippodrome de la Condesa.

Sanborn's, American Foto, la Banque de Londres et Mexico sont toujours à la même place. Vito Alessio Robles, Delahuerta et Obregón sont aujourd'hui des noms de rues.

Il n'y a plus d'hypnotiseuse dans les romans policiers.

Heureusement, les dominos sont toujours le grand sport national. Par miracle, la télévision privée n'a pas encore jeté ses griffes dessus.

Paco Ignacio Taibo II
Mexico, 1982 - Ahuatepec, 1985

Table

RIVAGES/NOIR